1a. edición, junio 2003.
2a. edición, enero 2005
3a. edición, octubre 2007.

Nicolás San Juan 1043, Col. Del Valle
03100 México, D.F.
Tels. 5575-6615, 5575-8701 y 5575-0186
Fax. 5575-6695
http://www.grupotomo.com.mx
ISBN: 970-666-743-1
Miembro de la Cámara Nacional
de la Industria Editorial No 2961

Diseño de Portada: Trilce Romero
Supervisor de producción: Leonardo Figueroa

Impreso en México - *Printed in Mexico*

El simbolismo oculto de los sueños

"Los sueños te pertenecen. No los olvides, porque ellos saben lo que tú ignoras."

Proverbio árabe del siglo IX d. C.

"Los sueños son nuestra obra, igual que los hijos. ¿Por qué conocemos tan mal lo que nosotros mismos hemos hecho?"

Lucrecio

CAPITULO 1

¿Qué son los sueños? La respuesta del esoterismo y del psicoanálisis a esta pregunta

"La vida es sueño."

Calderón de la Barca

"Es cierto que los sueños son la verdadera interpretación de nuestras inclinaciones, pero se requiere arte para comprenderlos."

Montaigne, Essays II, XII

Qué son los sueños? ¿De qué materia están hechas esas visiones nocturnas capaces de perturbar nuestro ánimo e influir en nuestro día? ¿Por qué un sueño, es decir algo que sólo existe como un recuerdo vago de unas visiones efímeras y aparentemente caóticas, es capaz de aterrarnos, provocarnos angustia, darnos desconfianza, causarnos gracia o inducirnos a comenzar la jornada de mal humor?

A través del tiempo, estas preguntas han tenido diferentes respuestas que, sin embargo, pueden agruparse en dos grandes corrientes. Por un lado, una teoría supuestamente científica y que racionaliza la actividad onírica la ve como una producción un tanto despreciable de las neuronas que, al conectarse durante el estado de sueño, producen imágenes carentes de sentido que no tienen importancia ninguna y a las que no hay que atribuir otro significado que el de una actividad eléctrica azarosa que ocurre en el nivel celular.

En el otro extremo, se ubican las explicaciones que rescatan al sueño como una historia significativa, es decir dotada de sentido, como una producción que remite a algo que está más allá de ella misma y que puede leerse a partir de determinados códigos para extraer sus significados más profundos y reveladores. En esta amplia corriente se agrupan desde el esoterismo hasta el psicoanálisis.

Debemos aclarar aquí que entendemos la palabra "esoterismo" en un sentido amplio que abarca todas las concepciones del sueño como relato dotado de sentido, ya sea éste considerado como hecho anticipatorio, como mensaje divino, como código cifrado o como realidad de un plano diferente del cotidiano.

La palabra "esotérico" (del griego *esoterikós*, "reservado a los adeptos", "íntimo") tiene, según el diccionario de la Real Academia Española, cuatro acepciones que convergen en parte:

1. Oculto, reservado.

2. Por extensión, dícese de lo que es impenetrable o de difícil acceso para la mente.

3. Dícese de la doctrina que los filósofos de la antigüedad no comunicaban sino a cierto número de sus discípulos.

4. Dícese de cualquier doctrina que se transmite oralmente a los iniciados.

Nos referimos, por lo tanto, al saber esotérico sobre el sueño como un cuerpo de conceptos acerca de las imágenes oníricas reservado en otros tiempos a unos pocos individuos y que resumía, precisamente, los secretos de la significación de lo que, para muchos, no tenía ninguna. Con el tiempo, este saber para iniciados fue considerado por los científicos como mera superstición o superchería.

Pero, curiosamente, fue un médico que como tal pertenecía a la comunidad científica de su época quien reivindicó al sueño como una fuente de saber, del mismo modo que lo había hecho el esoterismo desde la antigüedad. Ese relevante médico no fue otro que Sigmund Freud, el creador del psicoanálisis. Freud encontró en la actividad onírica nada menos que "la *vía regia* de acceso al inconsciente".

El análisis de las imágenes producidas durante el sueño volvió a convertirse esta vez por obra y gracia de la ciencia en una práctica develadora, que permitía encontrar en el lenguaje cifrado de la producciones oníricas un significado oculto, de vital importancia para el conocimiento de la psiquis humana. Permitía, además, recuperar ciertos contenidos psicológicos que, reprimidos por la conciencia, estaban condenados a una suerte de destierro en el incomprensible simbolismo de las imágenes nocturnas.

Freud escribió *La interpretación de los sueños*, un libro que cambió la historia "culta" de la concepción onírica, en el año 1900. Su teoría, absolutamente revolucionaria para el mundo de la ciencia, consistía básicamente en la postulación de los sueños como manifestaciones de deseos reprimidos que, censurados por la conciencia, adquieren forma cifrada para poder "colarse" en ella. De este modo, las visiones nocturnas adquirieron la misma categoría que el lapsus lingüístico en el conocimiento de los oscuros laberintos del inconsciente.

Los sueños en las diferentes culturas

Los griegos y los romanos encontraron en ellos mensajes ocultos sobre el futuro, premoniciones cifradas, información sobre los hechos del porvenir. En la antigua Grecia, reyes y senadores, mercaderes y soldados le pedían al oráculo de la ciudad de Delfos que sus sueños fueran interpretados en sentido correcto. Grandes salas albergaban a soñantes deseosos de que sus visiones nocturnas fueran decodificadas por el oráculo, previa entrega de ofrendas.

La Edad Media concibió los sueños, algunas veces como productos demoníacos que alteraban el ánimo y conducían por la mala senda y otras, como anuncios inequívocos acerca del porvenir. El carácter premonitorio de los sueños se pone en evidencia en una anécdota que se le atribuye al emperador Constantino. Se dice que antes de la batalla por la conquista de Bizancio vio en sueños que una fiera cruzaba el cielo y la interpretó como un signo de triunfo. Como resultado, se decidió a triunfar y a establecer el cristianismo como religión del imperio romano.

Pero los sueños han sido vistos también como realidades "más reales" valga la expresión que la realidad ordinaria misma. Al respecto existe un ejemplo paradigmático que ha sido citado en reiteradas oportunidades, tanto como caso del carácter real de los sueños como por el sentido poético de ellos. Trescientos años antes de Jesucristo, el filósofo chino Zhuang Zhu soñó que era una mariposa que volaba libremente en el viento. Cuando se despertó, se dio cuenta de que había tenido un sueño, pero no estaba seguro de si Zhuang Zhu había soñado que era una mariposa o una mariposa había soñado que era Zhuang Zhu.

El gran escritor argentino Jorge Luis Borges introdujo como tema en su literatura el de la realidad humana como creación onírica soñada por un algún soñante. De acuerdo con esta visión poética, todos nosotros no seríamos más que imágenes efímeras de un sueño.

Pero esta idea literaria tiene antecedentes en otros ámbitos de la cultura. La noción de la vida como sueño no es nueva. En la tradición hindú, por ejemplo, la vida y toda creación en general es vista como un sueño de Vishnu, por lo que cada vida es considerada como un sueño particular.

En las sociedades tribales, muchas de las cuales subsisten en nuestros días, los sueños fueron vistos como mensajes de los dioses hacia el soñante que pretendían dirigir su vida de acuerdo con los designios divinos.

El sueño como realidad nocturna

En el otro extremo, los sueños son considerados por algunas culturas como hechos absolutamente ciertos ocurridos en otro plano de lo real. Un buen ejemplo de esta concepción es el siguiente texto recogido por el antropólogo inglés Charles Wright, en 1937, de boca de un hombre de la tribu africana swahili que estaba por ser decapitado por el jefe de la tribu en virtud de la grave falta que había cometido en sus sueños:

"Anoche, mientras dormía, maté al hombre que hacía gozar a mi mujer. El tenía merecida la muerte, pero por su muerte yo también tengo merecido mi castigo.

Cuando volví de la choza del traidor, me dirigí al dormitorio de mi esposa. Llevaba en la mano el cuchillo aún chorreante de sangre tibia. Mi esposa dormía plácidamente y a la luz de la luna tenía el rostro de una mujer inocente. Sin embargo era culpable, yo lo supe en el sueño. No lo había visto con mis propios ojos, pero lo sabía. Tenía la certeza absoluta que se tiene cuando nos tendemos sobre el camastro y comenzamos a vivir nuestra vida nocturna. Tenía esa certeza que no se parece en nada a la certeza diurna. De día necesitamos ver las cosas con nuestros propios ojos, mientras que de noche nos basta con saberlas para que sean como creemos que son.

Ella, mi mujer, había amado al traidor que ahora estaba muerto con la misma pasión con que me amaba a mí cada noche. Por eso, entré en su cuarto sin hacer ruido. No llevaba la lanza de combate, sino el mismo cuchillo con que había matado al traidor y que le había quitado alguna vez a Quiribu en una pelea. El me dijo que se lo había quitado a un hombre blanco. Yo había afilado el cuchillo frotándolo contra una piedra y su filo era tal que el aire mismo se abría a su paso.

Se me encogió el corazón al ver a mi mujer dormida. Yo la amaba, pero no podía tolerar su traición. No era de hombre soportarla. Mi acción iba a ser penada por la ley swahili con la muerte, pero no podía dejar de llevarla a cabo. Ella abrió los ojos en el momento mismo en que iba a asestarle la puñalada en el corazón, pero su mirada no me hizo retroceder. Estaba decidido y luego de la primera puñalada continué dándole otras, hasta que su cuerpo se cubrió de sangre.

Es por eso que hoy estoy aquí, esperando que una mujer de la tribu me dé el primer golpe y me haga perder la conciencia, para que luego el jefe me quite la cabeza, de en medio de los hombros, con un solo golpe certero de su machete.

Me he entregado voluntariamente. No es deun guerrero noble esconder su falta. Un hombre blanco me preguntó si mi mujer estaba realmente muerta. Le dije que ella era la que me contemplaba desde lejos, la que tenía la cara entre las manos y dejaba que asomaran las lágrimas. 'Esa mujer no está muerta', me dijo el hombre blanco. 'No está muerta durante el día, porque yo la he matado de noche. Esta noche, cuando yo cierre mis ojos, ella estará muerta. Y debo pagar mi culpa', le respondí".

Según cuenta Charles Wright, el joven swahili que había matado en sueños al amante de su esposa y a su esposa misma, fue muerto de un certero machetazo que seccionó su cabeza del tronco. Nada pudieron hacer los pocos hombres blancos que presenciaron el hecho para impedir el trágico fin del soñante.

Algo similar relata Lord William River, en un texto que data del siglo XIX y que es producto de sus incursiones por el continente africano:

"Una mujer de la tribu de los whipis se flagelaba el cuerpo con un látigo trenzado con las hojas de un árbol de la región. Su espalda había comenzado a sangrar, y la visión de las gotas de sangre sobre el suelo le hacía redoblar la saña con que se golpeaba a sí misma.

Había oído decir a algunos de mis compatriotas que como yo se interesaban en las culturas exóticas, que ningún hombre blanco debía interferir en los usos y costumbres de otras culturas. Pero yo no pude refrenar el impulso de impedir que aquel espectáculo horroroso prosiguiera, y le pedí al intérprete que nos hacía de guía que le dijera a aquella mujer que yo ordenaba que dejara de flagelarse. 'Eso es imposible', me dijo el intérprete. 'Si hago tal cosa, seré condenado yo mismo a la flagelación. Esa mujer era una virgen destinada a los dioses y ha pecado en sueños. Debe flagelarse hasta desvanecer'.

Me horrorizó escuchar tal cosa, pero aprendí algo fundamental de la cultura whipi: para ellos, no existe diferencia alguna entre la realidad y los sueños. Están convencidos de que las faltas que cometen mientras duermen, tienen el mismo nivel de existencia que las que cometen cuando están despiertos.

El intérprete me relató que un hombre se quitó la vida porque soñó que violaba a la mujer de su amigo y eso lo hacía indigno de seguir viviendo. La mujer que se azotaba continuó haciéndolo hasta que cayó al piso. No pude hacer nada para impedirlo".

El sueño como forma de crecimiento personal

Para Alfred Adler (1870-1937), eminente psiquiatra que investigó los mecanismos psíquicos y reflexionó acerca de algunos sentimientos, por ejemplo el de inferioridad, el sueño hace posible el desarrollo del individuo en tanto le permite elaborar lo que tiene de más particular y propio. Incluso, concluyó que los sueños tienen una estrecha relación con la personalidad del soñante. Por esta razón, cuanto más sueñe una persona y cuanto mayor atención preste a lo que sueñe, más conectada estará con su propio yo y más desarrollará, por lo tanto, sus potencialidades.

El sueño es, para Adler, una forma de autoconocimiento, imprescindible para el desarrollo personal. En la terapia que desarrolló, destinada a llevar los sentimientos de inferioridad hacia la madurez y el sentido común, el análisis de los sueños cumplió un papel protagónico.

El sueño como expresión de arquetipos universales

Carl Jung escribió *Memorias, sueños, reflexiones*, un libro en el que expone su teoría sobre las producciones oníricas. Para él, a diferencia de lo que pensaba Freud, el inconsciente no es un reservorio de asociaciones e imágenes particulares, sino universales. Existe, por lo tanto, un inconsciente colectivo y en él están depositadas imágenes arquetípicas que se expresan a través de los sueños. En consecuencia, éstos no son creaciones tan individuales como una obra de arte, sino producto de la elaboración que la humanidad ha ido haciendo desde el principio de los tiempos.

Aunque la explicación de Jung ha sido reivindicada por todas las corrientes esotéricas y es innegable que tiene algo de cierta, a los fines de este libro resulta menos productiva que el análisis de los sueños tal como lo planteaba Freud. En efecto, nos proponemos abordar aquí el análisis como *creación individual*. Si bien es cierto que los mecanismos del sueño, de los que nos ocuparemos más adelante, son comunes a todos los soñantes, el material sobre el que estos mecanismos operan es absolutamente particular y tiene que ver con la capacidad de asociación individual, con las experiencias particulares y con el imaginario propio.

La visión de Jung, sin embargo, constituye una contribución importante a la interpretación de los sueños que, al igual que la de su colega Freud, toma en cuenta la visión esotérica de todos los tiempos, en tanto considera las imágenes oníricas como relatos dotados de sentido. En nuestro análisis no desdeñaremos sus aportes, pero luego de revisar lo que nuestro sueño tiene de universal, nos remitiremos a lo que tiene de más particular e íntimo.

La siguiente es una lista de los arquetipos oníricos fundamentales, consignados por Jung:

Caracteres y animales

Mujer arquetípica: Representa la espiritualidad.
Hombre viejo: Sabiduría y experiencia.
Niño: Fuerzas renovadas y creativas.
Maestro: El soñante busca encontrarse a sí mismo.
Héroe mitológico: Necesidad de protección.
Caballo: Necesidades animales primitivas.
Serpiente: Organo sexual masculino, renacimiento, energía que proviene del inconsciente.

Naturaleza

Sol: Arquetipo de lo masculino, dador de vida.
Luna: Arquetipo de lo femenino, planeta del misterio.
Tierra: Figura de la madre, seguridad.
Mar: Inconsciencia, eternidad.
Fuego: Energía, destrucción, sexualidad.
Lluvia: Llanto, limpieza.
Arbol fuerte: Figura del padre.
Isla: Soledad, desolación.
Montaña: Ambición, espiritualidad, deseo de ascender.

Acciones

Volar: Deseo de escapar de responsabilidades, necesidad de expansión.
Cruzar un puente / escalar una montaña: Acceder a una nueva etapa de la vida.
Comer: Transformarse.
Bailar: Unidad simbólica, amistad, sexualidad.
Nadar: Sumergirse en la vida.
Morir: Terminar una etapa.

Objetos

Casa: Estructura del yo (si las paredes están rajadas o escritas, demuestran un sentimiento de fragilidad o la posibilidad de un peligro).
Puerta: Transición, elección.
Ventana: Percepción.
Pared: Restricción, introversión.
Frutas: Organos sexuales, fertilidad.
Llave: Poder, masculinidad.
Espejo: Alma.
Escaleras: Ganar o perder conciencia, según se asciendan o se desciendan.

Figuras

Círculo: Totalidad, armonía.
Triángulo: Magia, espiritualidad.
Rectángulo: Solidez.

Colores

Rojo: Enojo, intensidad.
Rosa: Inocencia, amor.
Amarillo: Energía, enojo.
Verde: Vida, fertilidad.
Azul: Racionalidad.
Púrpura: Espiritualidad, arrogancia.
Marrón: Tierra, instintos primitivos.
Negro: Sombra, poder.
Gris: Neutralidad.
Blanco: Pureza, espiritualidad.

Números

Números impares: Masculino.
Números pares: Femenino.

Cero: Retorno de lo reprimido.

1: Comienzo, individualidad, masculinidad, indivisibilidad.

2: Dualidad, yin y yang, luz y oscuridad, femineidad, receptividad.

3: Magia, espiritualidad.

4: Estabilidad, completud, materialización, sensación.

5: Forma física humana (dos brazos, dos piernas, una cabeza).

6: Simetría, unidad de cuerpo y espíritu, unión del hombre con Dios.

7: Ciclos vitales, ritmos y energías propias.

8: Generación, degeneración y regeneración, muerte y resurrección, infinito.

9: Culminación de lo que se está gestando (como luego de los nueve meses de embarazo).

10: Un nuevo comienzo, reencarnación, karma.

Los sueños y el desarrollo espiritual

Aunque en las tradiciones bíblicas, al igual que en las tradiciones chamánicas, se considera que el sueño no sólo beneficia al soñante, sino también a la comunidad en que vive, la Iglesia católica comenzó a abandonar el análisis de los sueños a partir del siglo V. La causa de este abandono tiene que ver con el hecho de que consideraba a esta práctica más ligada a la superstición que a la religión.

Sin embargo, los sueños ayudan al desarrollo de la espiritualidad, dado que permiten a cada individuo conocer cuáles son sus valores para poder vivir en concordancia con ellos.

La elaboración onírica se relaciona, en gran medida, con la meditación, en tanto una y otra permiten que el individuo se ponga en contacto con los substratos más profundos de su yo y pueda integrarlos a su vida cotidiana.

Tal como dice Stanley Krippner en su libro *El lenguaje de la noche*, "el sueño libera energía y conocimiento" y "a la luz del desarrollo espiritual, el sueño tiene más poder cuando se lo ve como una pregunta en lugar de una respuesta. Para el desarrollo de una relación, sobre todo cuando se trata del yo, la pregunta es más eficaz que una orden. Las preguntas despiertan la conciencia".

Por esta razón, el "Diccionario de consulta rápida por imágenes" que se incluye en este libro, no recoge sólo el significado universal que cada símbolo onírico tiene, sino también la pregunta que debe hacerse el individuo a sí mismo ante la aparición de ese símbolo, si pretende que el sueño le sirva para su desarrollo espiritual.

¿Qué son los sueños?

Luego de esta breve introducción en el mundo onírico, volvemos a la pregunta que da título al capítulo: ¿Qué son los sueños? Para responderla, nos remitiremos a la tradición esotérica que es retomada por el psicoanálisis, por considerar que es la más productiva a la hora de analizar nuestras producciones oníricas. Trataremos, por lo tanto, de establecer qué es un sueño, cuáles son sus características y funciones, para poder determinar luego, cómo abordarlo y analizarlo.

1. Los sueños son una conexión con una fuente de saber que es inaccesible para la conciencia

Decir que los sueños son una fuente de saber significa que encierran un contenido cuyo significado no es fácilmente accesible si se trata de aprehenderlo con las herramientas de la lógica diurna. Habrá que utilizar, pues, otra lógica de análisis para saber qué significan, y esa lógica de análisis no es otra que la lógica del inconsciente.

Tal como ya lo dijimos en este capítulo, los sueños son la *vía regia*, según palabras de Freud, de acceso al inconsciente.

2. Los sueños son elaboración y enmascaramiento

Esta afirmación deriva de la anterior. Los sueños, en efecto, nos permiten penetrar en el inconsciente, pero a condición de que logremos descifrar el lenguaje en el que están "escritos". Esto significa que no se trata de un discurso claro que cumpla con todos los requerimientos de la lógica diurna, sino que responden a una lógica diferente.

Aquello que la conciencia rechaza es elaborado por el sueño para que logre atravesar la barrera de lo consciente. Esta elaboración supone un enmascaramiento, un disfraz para que lo rechazado no sea reconocido y pueda *filtrarse* desde el mundo subterráneo de lo inconsciente hacia el mundo de lo consciente.

3. Los sueños son un texto escrito en lenguaje simbólico

Los sueños resultan oscuros porque su lenguaje es simbólico. Un símbolo alude o representa algo más que él mismo. Pero no se trata de la mera sustitución de un elemento por otro. Para ser un símbolo, la imagen o representación debe contener varias de las características de aquello a lo que alude.

Si para la mayoría de las personas, por ejemplo, el vuelo de los pájaros se aviene a la representación de la libertad, es porque el vuelo en un espacio abierto, sin fronteras, guarda ciertas similitudes con la noción de libertad. Un pájaro en una jaula o cualquier animal en un corral, por ejemplo, no podrían ser símbolos de ese concepto, dado que son representaciones contrarias a él, es decir que no guardan relaciones de semejanza con aquello a lo que aluden.

Como sucede con cualquier lenguaje desconocido, es preciso tomarse tiempo para estudiarlo y comenzar a desentrañar sus significados. Aprender el lenguaje de los sueños es la condición *sine qua non* para llegar a comprenderlos.

Es necesario estar advertido acerca del carácter engañoso de las imágenes oníricas. Si el soñante actúa sólo por homología, es decir por similitud punto por punto entre el símbolo y aquello a lo que alude, seguramente se equivocará. Dado que, como se dijo, los sueños son elaboración y enmascaramiento, por lo general la relación entre el símbolo y lo simbolizado no es demasiado evidente, razón por la cual se necesita cierto entrenamiento para encontrar la conexión entre una cosa y otra.

4. Las imágenes de los sueños están construidas en diferentes niveles de significación

Esta afirmación es un llamado de atención respecto de que las imágenes de los sueños no deben ser tomadas en su sentido literal y unitario. Para que resulte sencillo comprender esta idea, vamos a dar un ejemplo.

Supongamos que una persona sueña con su hijo. Esto no significa de ninguna manera que el hijo de sus sueños aluda a su hijo real o, por lo menos, que aluda solamente a él. Si se lo piensa un momento, resultará fácil comprender que un hijo constituye un intrincado número de significaciones, entre las que podrían citarse:

* Algo que nace de nuestro interior, es decir, de nuestras propias entrañas.

* Alguien que es a la vez igual y diferente a nosotros.

* Una alusión a nuestra propia infancia.

* Los aspectos infantiles de nuestro yo.

* El continuo renacer de la vida.

A esta lista podrían agregarse muchos otros significados, por lo que tomar al hijo o a cualquier otro símbolo onírico en su sentido literal, sería un error. Las imágenes de los sueños tienen diferentes niveles de significación o, lo que es lo mismo, tienen significados diversos y no siempre literales.

5. Los símbolos oníricos son creaciones personales. Por eso, nadie mejor que el soñante para interpretar sus propios sueños

Todo aquel que haya tenido alguna práctica de psicoanálisis, sabrá que ni bien se le relata un sueño al analista éste pregunta: ¿con qué asocia este sueño?

Es el soñante mismo, por la vía de la asociación libre, quien llegará a develar su significado. Si bien, como dijimos, hay significados oníricos perfectamente registrados por Jung, el sueño es una creación personal y este rasgo constituye su máxima riqueza. El hecho de que el sueño sea una creación tan personal como la creación artística, es lo que hace que su análisis pueda ser tan revelador.

6. Los sueños son la forma en que el inconsciente nos brinda la información que necesitamos. Para hacerlo, recurre a su archivo y elabora el material de manera simbólica

En los sueños elaboramos simbólicamente los conflictos de nuestra vida diurna. Aunque este proceso de elaboración escape a la conciencia y seamos incapaces de establecer qué es lo que estamos elaborando, un mecanismo de esta naturaleza para el tratamiento de los conflictos es la garantía de nuestra salud psíquica.

7. Los sueños son coherentes

Aunque algunos sueños parecen en una primera impresión no tener sentido alguno, todos lo tienen. Si impresionan como aleatorios y caóticos, es sólo porque responden a una lógica diferente, pero no carecen en absoluto de ella. Como se verá más adelante, existe también una lógica del inconsciente, en la que están permitidas ciertas cosas que no admite la lógica de la vigilia: por ejemplo, que una cosa sea ella misma y su contraria.

8. Los sueños siempre tienen significado

Esta cualidad se deriva de la anterior. Que un sueño sea coherente significa que guarda una relación entre sus partes que, inevitablemente, produce un significado. No existen los sueños "vacíos" de mensaje, aunque puede suceder que éste sea de difícil acceso. Sin embargo, cuando se logra un buen entrenamiento, los sueños comienzan a volverse dúctiles al análisis y es posible encontrar en ellos verdaderos tesoros de significación.

9. Los sueños son necesarios para la salud psíquica

Tan importantes son los sueños en nuestra vida, que la imposibilidad de soñar puede acarrear serias consecuencias para nuestra salud psíquica. Los especialistas aseguran que la falta de producción onírica puede acarrear confusión, cansancio, irritabilidad, alucinaciones y enfermedades orgánicas.

Todo parece indicar, entonces, que los sueños proveen un equilibrio fundamental entre lo consciente y lo inconsciente, sin el cual es imposible conservar la armonía psíquica.

En este primer acercamiento al universo de los sueños, nos hemos valido de la tradición esotérica y el psicoanálisis. Retomaremos ambas para efectuar los análisis concretos del material onírico, dado que existen múltiples puntos de contacto entre una y otra visión. Freud escribió al respecto, en *La interpretación de los sueños:*

"En tiempos que podemos llamar precientíficos, la explicación de los sueños era para los hombres cosa corriente. Lo que ellos recordaban al despertar era interpretado como una manifestación benigna u hostil de poderes supraterrenos, demoníacos o divinos. Con el florecimiento de la disciplina intelectual de las ciencias físicas, toda esta significativa mitología se ha transformado en psicología, y actualmente son muy pocos, entre los hombres cultos, los que dudan aún de que los sueños sean una propia función psíquica del durmiente.

Pero desde el abandono de la hipótesis mitológica, han quedado los sueños necesitados de alguna explicación. Las condiciones de su génesis, su relación con la vida psíquica despierta, su dependencia de estímulos percibidos durante el sueño, las muchas singularidades de su contenido que repugnan al pensamiento despierto, la incongruencia entre sus representaciones y los afectos a ellas ligados y, por último, su fugacidad y su repulsa por el pensamiento despierto, que considerándolos como algo extraño a él, los mutila o extingue en la memoria, son problemas que desde hace muchos siglos demandan una satisfactoria solución, aún no hallada".

Qué son los sueños

* Los sueños son una conexión con una fuente de saber que es inaccesible para la conciencia.
* Los sueños son elaboración y enmascaramiento.
* Los sueños son un texto escrito en lenguaje simbólico.
* Las imágenes de los sueños están construidas en diferentes niveles de significación.
* Los símbolos oníricos son creaciones personales. Por eso, nadie mejor que el soñante para interpretar sus propios sueños.
* Los sueños son la forma en que el inconsciente nos brinda la información que necesitamos. Para hacerlo, recurre a su archivo y elabora el material de manera simbólica.
* Los sueños son coherentes.
* Los sueños siempre tienen significado.
* Los sueños son necesarios para la salud psíquica.

CAPITULO 2

Para qué sirve develar el significado de los sueños

"Todo lo que vemos no es más que un sueño dentro de otro sueño."

Edgard Allan Poe

"Si un mal sueño oprime tu corazón durante la vigilia, pregúntate la razón. La encontrarás si descubres la llave para que las visiones oscuras se vuelvan transparentes."

Tao-Se-Lung, siglo II a.C.

Aunque resultaría fácil justificar el porqué del análisis de los sueños diciendo que todo conocimiento o autoconocimiento es útil aunque no tenga un fin inmediato, existen razones muy concretas para fundamentar el análisis onírico.

La primera de ellas surge de lo dicho hasta ahora: si el sueño es un modo de satisfacer nuestros deseos, no resulta ilógico pensar que la creación onírica es un excelente mecanismo compensatorio que nos permite realizar en sueños lo que no podemos lograr en la realidad. Sin embargo, ésta sería una simplificación excesiva que convertiría al sueño en "el consuelo del conformista".

Las producciones oníricas tienen, es cierto, la función de satisfacer deseos a veces imposibles de colmar en la realidad, pero detrás de esta realización se esconde toda una elaboración de conflictos que sirve como válvula de descompresión para la angustia, aun cuando muchos sueños estén cargados de ella. Además, rara vez los sueños realizan deseos posibles (por ejemplo, tener un bien material costoso, lograr algo que no requiera demasiado esfuerzo); la mayor parte de las veces, por el contrario, realizan sueños imposibles, deseos cuasi absurdos, aunque éstos aparezcan acompañados por otros más lógicos y probables.

Desde tiempos inmemoriales se considera que el sueño es, entre otras cosas, una revelación. Pero, ¿qué es lo que revela el sueño? Muchas veces se trata de acontecimientos futuros, pero también revela elementos de nuestra interioridad, pone en escena conflictos que ni siquiera teníamos conciencia de poseer.

Si el sueño es una forma de conocimiento, es precisamente porque nos permite acceder a aquella parte de nosotros mismos de la que no tenemos ningún tipo de registro consciente. Sin embargo, su papel no termina ahí. El sueño de un hombre de 45 años dará cuenta de una función muy importante en la que habitualmente no se repara: la de controlar las fuerzas destructivas que habitan en todos nosotros.

El sueño de Javier

"Me encontraba en una habitación. La puerta estaba entreabierta. Yo me sentía muy angustiado y me decía a mí mismo que en cuanto saliera de ese lugar me iba a sentir mejor.

Me encaminaba hacia la puerta con el propósito de irme de allí y aliviar mi angustia por estar en un sitio tan oscuro, frío e inhóspito. Pero en el momento en que iba a atravesar la puerta, ésta se cerraba y yo quedaba atrapado entre las cuatro paredes descascaradas de la habitación. En ese momento el techo comenzaba a bajar.

Yo sabía no sé cómo pero lo sabía en el sueño que el techo bajaría un centímetro cada dos horas, que descendería lentamente para que mi muerte me produjera aún más desesperación. Sobre la silla había un revólver cargado. Lo tomé, abrí la boca, me lo coloqué en el paladar y disparé. Morí en el acto.

En el sueño podía verme a mí mismo muriendo y, curiosamente, experimentaba aunque estaba muerto una sensación de gran alivio, casi de alegría por haber dejado el mundo que tantos problemas me causó y del que tantas agresiones tuve que soportar."

Javier era un exitoso industrial que de la noche a la mañana perdió todos sus bienes. Sufrió un gran estado depresivo que terminó también con su matrimonio. De esta forma su depresión se ahondó y comenzó una terapia psicológica porque no podía sobreponerse a lo que le había pasado.

Como se sabe, las terapias estimulan la producción de sueños, y al poco tiempo de iniciado el tratamiento soñó lo que acabamos de transcribir. Lo que aparece en el sueño es su propio suicidio. Javier nunca había tomado conciencia de que gran parte del día se la pasaba pensando en su propia destrucción y que veía el suicidio como una forma lógica de terminar con sus sufrimientos.

El sueño le hizo tomar conciencia de que en él estaba actuando una fuerza oscura que lo impulsaba, sin que se diera cuenta, por la barranca de la destrucción y la muerte. Pudo ver así, en toda su magnitud, el estado en que se encontraba y la necesidad de revertirlo.

Los sueños tienen, por lo tanto, la función de ponernos sobre aviso de las fuerzas destructivas que se agitan en nuestro interior y que pueden actuar contra nosotros mismos. Pero así como nos permiten acceder a nuestros impulsos más negativos, también nos posibilitan ahondar e investigar en nuestro reservorio inconsciente de imágenes y sensaciones y utilizarlo de manera creativa.

Se dice que Jerónimo Bosch, pintor conocido como El Bosco, no hizo otra cosa que pintar las extrañas imágenes que aparecían en sus sueños. "El jardín de las delicias", una de las obras pictóricas más originales que se conozcan, habría nacido, entonces, de las tinieblas del sueño, en tanto éstas permitieron que el artista se liberara de censuras y represiones conscientes. Cuando se levantan las barreras impuestas por la vigilia, nuestros impulsos primarios pueden expresarse libremente y esto constituye, sin duda, un excelente estímulo para la creatividad, cualquiera sea la actividad que desarrollemos.

¿Es posible utilizar los sueños para mejorar la vida?

Definitivamente, la respuesta a esta pregunta es sí. Existen diversas formas de utilizar los sueños a nuestro favor. La primera y más sencilla consiste, simplemente, en soñar. De este modo ya los estamos utilizando, sin saberlo, para lograr todo lo que enunciamos más arriba.

Pero también es posible utilizarlos de una manera consciente y orgánica, esto es, analizarlos para que su significado se nos revele en toda su magnitud y con toda claridad. El análisis de los sueños permite potenciar al máximo su acción benéfica sobre la psiquis. Existe incluso la posibilidad de "incubar" determinados sueños para elaborar a través de ellos diferentes conflictos o modificar determinadas situaciones.

La incubación es un método relativamente sencillo que consiste en entrenarse para soñar, en darle determinadas órdenes al inconsciente para que se produzcan ciertos sueños y no otros, con el fin de satisfacer un deseo o resolver un conflicto. Al respecto citaremos como ejemplo el caso de un marido fiel que, obsesionado por una jovencita que le hacía perder la cabeza poniendo en peligro su proverbial fidelidad y, en consecuencia, su matrimonio, recurrió a la incubación de sueños para satisfacer su deseo obsesivo de tener relaciones sexuales con ella. De este modo, el sueño se convirtió en un sustituto inocuo de la realidad y le permitió liberarse de su obsesión.

La incubación se utiliza con diferentes fines, tanto terapéuticos como adivinatorios. Mucha gente incuba sueños relacionados con el futuro para saber, por ejemplo, cómo le irá en su trabajo o qué número saldrá en la lotería. En este libro, sin embargo, no nos ocuparemos de la incubación de sueños, sino del análisis exhaustivo de ellos para descubrir el tesoro oculto que encierran.

Sin echar mano del concepto de "incubación", que se remonta a la Antigüedad, muchos psicólogos de nuestros días consideran no sólo que el soñante puede controlar sus sueños sino también que su vida se modifica positiva o negativamente a través de ellos. Están convencidos, además, de que se pueden incluir sugerencias positivas en nuestro inconsciente antes de ir a dormir para encontrar respuestas a nuestros problemas en los sueños.

Aun los individuos más escépticos se han visto obligados a aceptar la enorme utilidad de los sueños y a dejar de considerarlos como imágenes fortuitas, aleatorias y sin importancia que surgen como consecuencia de una actividad neuronal desordenada por el sueño. Prueba irrefutable de su utilidad es que todas las personas sueñan, aun aquellas que por no recordar sus sueños creen que nos los tienen. Otra prueba es la cantidad de tiempo que pasamos durmiendo, como para darnos la oportunidad de producir un sueño. Durante ese lapso de 6 a 8 horas en los adultos, de 10 a 11 horas en los adolescentes y de 17 a 18 horas en los bebéss, estamos virtualmente "muertos para el mundo" y totalmente volcados hacia nuestra interioridad. La tercera parte de nuestra vida la pasamos durmiendo, y la mitad de ese tiempo lo destinamos a producir imágenes oníricas. Esto significa que aproximadamente una sexta parte de la vida la pasamos soñando.

Lo que los sueños hacen es ayudarnos a "digerir" los problemas y sucesos de nuestra vida diaria. Por medio de ellos recibimos mensajes de nuestro inconsciente y signos de alarma respecto de determinadas situaciones. Dentro de la simbología del sueño encontramos también la forma de resolver los conflictos que plantean.

Nuestros problemas personales, nuestros miedos, nuestros gustos y disgustos, nuestras esperanzas y necesidades están reflejadas en las producciones oníricas. El propósito de interpretar los sueños es tratar de entender el lenguaje del inconsciente que, como veremos más adelante, tiene su propia forma de operar en nosotros.

Esto es de vital importancia, porque cuando comprendemos el mensaje del inconsciente, entendemos qué es lo que nos perturba y estamos en mejores condiciones de controlar y dirigir satisfactoriamente nuestras vidas.

Para qué sirve develar el significado de los sueños

* Para saber cuáles son nuestros deseos más profundos.

* Para saber cuáles son los conflictos no manifiestos que, sin embargo, interfieren negativamente en nuestra vida.

* Para conocer las fuerzas oscuras de nuestro inconsciente que pujan en nosotros sin que nos demos cuenta. Además, para controlarlas.

* Para detectar nuestros puntos débiles y nuestros puntos fuertes.

* Para elaborar simbólicamente los conflictos que nos producen sufrimiento.

* Para que las situaciones de estrés y angustia tengan una válvula de escape.

CAPITULO 3

Los motivos oníricos universales. Su vinculación con cada individuo

"Si conceptuamos el contenido del sueño como la exposición de un deseo realizado y atribuimos su oscuridad a las transformaciones impuestas por la censura al material reprimido, no nos será muy difícil deducir la función del sueño."

Sigmund Freud

"El sueño, como el espejo, es el país de lo que es y, a la vez, no es."

Lewis Caroll

Hemos dicho en un capítulo anterior que el sueño es una creación enteramente personal, producto de las experiencias propias y particulares de cada individuo. En este sentido, cada producción onírica es como una pequeña obra de arte. Cada figura del sueño representa aspectos del yo individual y es por esta razón que nos parece más productivo abordar el estudio de los sueños no como producción de imágenes arquetípicas, sino personales.

Sin embargo, es imposible negar que en la producción de imágenes personales intervienen modelos provistos por la cultura y que, por lo tanto, no son enteramente individuales. Podría decirse, como consecuencia, que en muchos sueños opera una suerte de "apropiación" particular de símbolos universales. Los símbolos oníricos están disponibles para el soñante en el inconsciente colectivo, según Jung. Pero, sin embargo, no todos hacen de ellos el mismo uso, y en este particular modo de apropiación reside lo personal del sueño señalado por Freud.

En este capítulo trataremos de establecer cuáles son los motivos recurrentes del sueño, aquellos que, soñados de una manera particular por cada soñante, pertenecen, sin embargo, a un repertorio común de imágenes que forma parte de la cultura en que el soñante está inserto.

Un ejemplo concreto servirá para clarificar lo que decimos. Si una persona sueña con su pareja, con su amigo, o con su padre o su madre, seguramente esa figura remitirá a esas personas concretas que forman o formaron parte de su vida. Sin embargo, también serán símbolos universales que ocupan un determinado lugar en la cultura.

La existencia es algo que nos es dado y que sigue un proceso común para todo el mundo: nacemos, crecemos, nos reproducimos y morimos. Sin embargo, cada persona pone en este devenir universal su propio sello. Todos los seres tienen una existencia regida por los patrones de la biología; sin embargo, cada existencia es diferente y, en este sentido, es una creación individual.

Los motivos oníricos

Definiremos como *motivos oníricos* ciertas figuras del sueño que son recurrentes, es decir que la mayor parte de las personas ha soñado alguna vez y que tienen una simbología universal. Un buen ejemplo de esto es el motivo de lo femenino y lo masculino que, siendo universal, significa casi un molde vacío, un recipiente que cada inconsciente llena de una forma particular. El sueño se desarrolla, por lo tanto, a partir de este sutil balance entre lo individual y lo universal.

¿Para qué sirve reconocer que estamos utilizando en nuestros sueños un motivo universal? Precisamente, para constatar cuál es el contenido particular con que hemos llenado ese molde vacío provisto por la cultura. De esta forma, conoceremos algo sustancial sobre nosotros mismos.

Cada uno de los motivos ha sido ilustrado con un ejemplo particular de un sueño. De este modo, el lector tendrá un adelanto de la metodología de análisis de los sueños y comenzará a familiarizarse con ella.

Motivo de lo masculino y lo femenino

Cada uno de nosotros es mujer u hombre de un modo particular; sin embargo, también lo es de acuerdo con un patrón provisto por la cultura que dice qué cosa es un hombre y qué cosa es una mujer. Diferenciar entre lo individual y lo universal es una tarea trabajosa, pero sumamente enriquecedora que puede llevarse a cabo a través del análisis de los sueños.

Pongamos un ejemplo práctico. La cultura provee una serie de rasgos que son los que supuestamente definen a un hombre y a una mujer. Sin embargo, en nuestro inconsciente nosotros llevamos a cabo la tarea de quitar, agregar, sustituir o mezclar estas cualidades. En esa mezcla particular, de la que no somos conscientes en absoluto, suelen residir nuestros conflictos, nuestras características más salientes, nuestro sello más personal.

Pongamos un ejemplo concreto. En nuestra sociedad el concepto "madre" suele ir acompañado de las siguientes características:

Madre universal

Generosa
Abnegada
Desinteresada
Sacrificada
Interesada en obtener la felicidad de sus hijos
Dispuesta a defender a los suyos
Dispuesta a renunciar a lo personal en beneficio de la familia
Dadora de cobijo y alimento
Protectora
Indulgente

Sin embargo, para alguien en particular, por ejemplo para María, este concepto puede estar acompañado de otras características que corresponden a su madre y que, por lo tanto, forman parte de su propia experiencia.

Madre María

Posesiva
Despótica
Arbitraria
Intolerante
Agresiva
Exigente
Tiránica
Poco comprensiva
Egoísta

Es indudable que entre una y otra lista existe una gran diferencia. El conflicto de María respecto de su madre parece residir en la imposibilidad de conciliar la imagen universal de la madre con su imagen particular. Sin embargo, esta afirmación que parece tan sencilla y fácil de comprobar, no lo es absoluto.

Las significaciones y cualidades que atribuimos a los personajes fundamentales de nuestra existencia generalmente no son conscientes, sino que permanecen en un segundo plano indefinido: a veces las intuimos, otras las negamos para que nos resulten menos dolorosas, en ciertas oportunidades las enmascaramos. Lo que el sueño revelará de manera cifrada, por lo tanto, será la significación particular que ese símbolo universal tiene para nosotros.

De esta forma, la imagen onírica explicará el origen del conflicto en tanto pondrá en evidencia el contraste entre ambas "listas de cualidades". La disparidad entre lo universalmente aceptado y lo particular es lo que genera la tensión psicológica que se expresa en el sueño.

El ejemplo visto sirve para cualquier motivo onírico. Retomando el de lo masculino y lo femenino, podríamos decir entonces que nuestra forma de ser hombre o mujer refleja, a la vez, cualidades personales y universales que se alojan en nuestro inconsciente.

Debemos aclarar, sin embargo, que lo masculino y lo femenino no se corresponden unívocamente con la figura del hombre y la mujer. En cada uno de nosotros conviven fuerzas masculinas y fuerzas femeninas, si entendemos estos conceptos como opuestos complementarios que podrían sintetizarse de la siguiente forma:

Masculino	Femenino
Invasor	Receptivo
Activo	Pasivo
Promotor	Creador
Agresivo	Dulce
Racional	Pasional
Torpe	Delicado
Aspero	Suave

El sueño de Diana

Para comprender mejor el concepto de lo masculino y lo femenino en los sueños, nos remitiremos en cada caso a un sueño concreto. Analizaremos el sueño de Diana, una mujer de 45 años que acudió a un terapeuta porque le costaba realizarse profesionalmente.

"Soñé que estaba en el campo, tendida bajo un árbol. Me sentía muy bien, pero también un poco rara, porque a mi alrededor todo el mundo trajinaba y se movía, iba de un lado para otro acarreando objetos diversos, desde armarios a ladrillos. Mi padre, a quien no veía pero cuya voz escuchaba, me decía: 'Si quieres cruzar aquel puente tú también, debes hacer algo, aunque ese algo no te guste. Apresúrate, levántate, hemos entrado en guerra y no debes quedarte allí sentada'.

Yo no podía moverme. Tenía una dulce pesadez que me producía a la vez bienestar e inquietud, porque yo era diferente a los otros, no me movía como ellos, no sabía adónde tenía que ir ni qué tenía que hacer.

De pronto, veo venir de lejos a un hombre vestido con una armadura. Nadie más parecía verlo. Era extraño aquel hombre, porque su vestimenta no coincidía en absoluto con la del resto. Era evidente que todos estábamos en el siglo XX y él estaba vestido como si perteneciera al siglo XII. Pero ni siquiera la visión de este hombre era capaz de hacerme levantar. En su mano llevaba un escudo y una lanza, y se dirigía hacia mí. Yo podía ver de qué manera se acercaba, como si fuera en cámara lenta.

Cuando lo tuve delante vi que tenía un rostro feroz, terrible, y una actitud amenazante. Se puso el escudo sobre la cara y retrocedió unos pasos para poder tomar carrera y embestirme con la lanza. Entonces me levanté, con una hábil maniobra le quité la lanza y le pegué con ella en la cabeza. El hombre cayó sin sentido. Me cercioré de que estuviera tan herido que no podría seguirme. Aprisioné bien fuerte la lanza y comencé a caminar. Ya sabía adónde iba y qué tenía que hacer.

Mientras los otros seguían atareados en los preparativos de guerra, yo me alejé del lugar. Muy pronto llegué al puente que divisaba a lo lejos y me dispuse a cruzarlo. Entonces me desperté."

Por supuesto, resulta imposible analizar un sueño sin remitirlo a un contexto concreto, aunque sea mínimo. Diana es una mujer que, como dijimos, no podía realizarse profesionalmente, pese a ser muy capaz. En el sueño su dificultad para luchar por alcanzar lo que quiere está simbolizada por la metáfora onírica de la guerra, en la que todos parecen tener un rol asignado menos ella. Diana aparece tendida bajo un árbol, mientras todos los demás están en movimiento, es decir que asume una actitud absolutamente *pasiva* que es, según nuestra cultura, una característica femenina. Sólo puede moverse cuando está en peligro su vida, porque es atacada por un hombre. Entonces, toma una actitud activa, es decir masculina, lo golpea, toma su lanza y se dispone a ponerse en marcha.

El puente tiene una significación universal (véase el "Diccionario de consulta rápida por imágenes" en este mismo libro) que indica el cruce de una barrera real o psicológica y, por lo tanto, el pasaje de un lado a otro, de un estado psicológico a otro. En la vida de Diana, esta barrera es su imposibilidad de realización. En el sueño sólo puede cruzar el puente, es decir, superar sus limitaciones, cuando se produce un cambio de lo *femenino-pasivo* (estar recostada bajo un árbol mientras los demás están en movimiento) a lo *masculino-activo* (pegarle al hombre y tomar su arma). Este cambio psicológico, es decir, este pasaje de un estado a otro, está simbolizado por el puente que se divisa a lo lejos y que ella sólo puede decidirse a cruzar una vez que ha operado la transformación o pasaje de lo femenino a lo masculino.

Esto está ligado a la historia de Diana, en cuya familia estaba mal visto que las mujeres tuvieran una participación social activa, algo considerado propio del hombre. El modelo social de lo masculino y lo femenino tenía en su medio características despóticas, ya que un mandato no explícito indicaba que las mujeres debían permanecer siempre en actitud pasiva porque, de lo contrario, se transformarían en hombres.

Lo que Diana pone de manifiesto en el sueño es, precisamente, esta tensión que le impide actuar y la angustia: si se realiza profesionalmente, perderá su femineidad. De hecho, sólo puede cruzar el puente cuando actúa como un hombre.

Un sueño de este tipo puede ser un *punto nodal* en una terapia de corte analítico o sencillamente en un autoanálisis de los sueños, ya que permite sacar a la luz una red de relaciones y significaciones no conscientes y llevarlas al plano de la conciencia. La imposibilidad de Diana tiene un origen claro en su imaginario: para triunfar profesionalmente debe, según el mandato familiar que ella ha asimilado de manera inconsciente, convertirse en hombre y sacrificar su femineidad.

Como se advierte, lo femenino y lo masculino, dos imágenes oníricas universales, pueden llenarse con contenidos psíquicos y afectos diferentes. En Diana se operaban simultáneamente las siguientes oposiciones que la llenaban de angustia:

* Femenino / Imposibilidad - Masculino / Posibilidad
* Femenino / Mandato familiar de lo correcto - Masculino/ Mandato familiar de lo incorrecto
* Femenino / Pasivo - Masculino / Activo
* Falta de realización personal / Femenino - Realización personal / Masculino

Lo expuesto anteriormente podría sintetizarse casi a modo de silogismo:

Realizarse es masculino,
lo masculino es malo en una mujer,
luego, realizarse es malo para una mujer.

De casi todos los sueños es posible extraer este tipo de razonamiento silogístico o al menos una frase en la que exista una causa y una consecuencia. Este es el punto nodal del sueño, es decir el que sintetiza la red de asociaciones inconscientes que actúan sobre nosotros y que nos hacen proceder de tal o cual manera sin que nos demos cuenta.

Qué nos muestran los sueños que nos hablan de lo masculino y lo femenino

* Los sueños que nos hablan de lo femenino y lo masculino nos muestran nuestras asociaciones personales con esos conceptos universales.

* Nos muestran la forma en que esas asociaciones nos limitan o nos dan posibilidades.

* Nos muestran cuál es el camino para superar nuestro conflicto.

El sexo en los sueños

La sexualidad ocupa un lugar tan importante en la vida humana que no existe prácticamente nadie que no haya tenido alguna vez un sueño de índole erótica. Sin embargo, el carácter sexual de determinados sueños no siempre es reconocido como tal, dado que la actividad onírica es, como vimos, simbólica y enmascara aquello que la conciencia rechaza para poder burlar su vigilancia.

Por esta razón, hay que ser sumamente cautos en la interpretación y no quedarse en las primeras impresiones. El sueño es una realización de deseos; sin embargo, sería un pecado de superficialidad interpretar que la aparición de un romance con determinada persona indica, de parte del soñante, un deseo de mantener relaciones con dicha persona, incluso si este deseo es real. El sexo, tal como aparece en los sueños, alude a algo más amplio que al mero deseo instintivo que es garantía de la supervivencia de las especies.

Por otra parte, en el inconsciente no cuentan las nociones de "correcto" e "incorrecto", que sí rigen para la conciencia. Por lo tanto, una persona que en la vida real es heterosexual puede tener un sueño homosexual, sin que esto signifique necesariamente un deseo de vivir ese tipo de experiencias. La consumación de una relación homosexual puede devenir de la abolición de las leyes de la conciencia e indicar, por ejemplo, la intensa admiración que produce en el soñante la persona de su mismo sexo con la que sueña que ha tenido relaciones sexuales.

Por otra parte, muchos especialistas coinciden en afirmar que el amor onírico homosexual no es otra cosa que la expresión simbólica del amor hacia uno mismo. Por lo tanto, soñar que se tienen relaciones con alguien del mismo sexo podría aludir a la afirmación del yo, al afecto por nuestro propio ego. También, podría tratarse de una advertencia para que fortalezcamos nuestra autoestima.

El contenido sexual de algunos sueños es a veces explícito y otras, implícito. Esto significa que el sexo puede ser denotado con diferentes grados de elaboración o enmascaramiento.

La forma más común de reemplazo de la relación sexual es por otra actividad física, como la de bailar, volar o montar a caballo. El *partenaire* sexual de los sueños no siempre es una persona a la que efectivamente se desea en la vida real. A veces, puede poseer alguna de las cualidades de la persona deseada, su nombre, su ropa, o incluso una relación mucho más distante, como las mismas iniciales, la misma profesión, etc.

La sexualidad explícita en los sueños suele ser el signo de una gran represión en la vida diurna. Tan es así, que muchas personas descubren su deseo hacia otra, a través de su sueño. Es común en las relaciones analíticas, por ejemplo, que el analizado descubra el deseo sexual que siente hacia su analista en el momento mismo en el que le relata un sueño erótico explícito o encubierto que los tenga por protagonistas. El sueño revela, de este modo, lo que la vigilia se encarga de ocultar para no transgredir la norma impuesta por la conciencia de que un analista es la persona que nos ayuda profesionalmente a resolver nuestros conflictos y no un objeto de deseo.

En cuanto a los sueños en que aparecen escenas de zoofilia, éstas suelen ser una alusión a los bajos instintos reprimidos del soñante durante la vigilia, la expresión de sus fuerzas más primitivas.

El sueño de Luis

"Me encontraba en una habitación vacía, sin mueble alguno. Yo mismo estaba desnudo como la habitación. En ese momento, se abría la puerta y penetraba una mujer madura, también desnuda. Su nombre era Alejandra. Me besaba dulcemente, me acariciaba, me decía que no tuviera miedo, que iba a encontrar lo que buscaba, que tratara de calmar mi angustia.

En la habitación, que hasta ese momento me había parecido vacía, había, sin embargo, un diván. Nos tendíamos en él, nos amábamos con ternura y también con furia. En el sueño tenía la sensación del transcurrir de las horas: hacíamos el amor durante mucho tiempo.

La siguiente escena del sueño se desarrollaba en la calle. Yo estaba completamente vestido y miraba mi reloj. Eran las once menos diez de la mañana. Había hecho el amor sólo durante cincuenta minutos, aunque a mí me había parecido una eternidad. Me sentía pleno, cansado pero feliz. Pensaba que jamás había tenido un encuentro íntimo tan profundo y reconfortante. Pensaba con alegría: 'Qué suerte, el jueves volveré a encontrarme con Alejandra'."

El sueño de Luis es un magnífico ejemplo de cómo el inconsciente enmascara los contenidos oníricos para que no sean rechazados por la conciencia. Luis tiene 28 años y le cuenta su sueño a su terapeuta. Algunos pocos elementos sirven para determinar que el sueño alude a una sesión de terapia.

a) El soñante está desnudo, lo que es una clara alusión no precisamente a su cuerpo, sino a su psiquis. Esto prueba que el cuerpo puede ser la representación de otra cosa.

b) En el sueño aparece un diván, lo que tiene que ver, obviamente, con el diván de su terapeuta.

c) La joven desnuda que entra en la habitación no es otro que su propio analista. Para eludir la censura de la conciencia, el soñante transformó la figura masculina del terapeuta en una figura femenina, dado que él es heterosexual y el "deber ser" de un heterosexual indica que sólo se tendrán relaciones sexuales con personas de diferente sexo. En realidad, el terapeuta se llama Alejandro, pero para que el sentimiento amoroso que lo une a él pueda burlar a la policía de la conciencia, necesitó cambiar su nombre por su equivalente femenino.

d) La relación íntima que el soñante mantiene con la joven es un ejemplo de la intimidad que supone la relación terapéutica, en tanto significa desnudar la psiquis con todas sus debilidades y contradicciones. La consumación de la relación sexual indica que el soñante ha vencido las naturales resistencias a que su terapeuta penetrara en las profundidades de su psiquis y que se ha entregado al análisis. La "entrega", que por definición es una actitud femenina y por lo tanto pasiva o receptiva, aparece en el sueño convertida en una actitud activa de posesión, es decir masculina. También, esta transformación indica el deseo de burlar a la conciencia.

Qué nos muestran los sueños que nos hablan de sexo

* Los sueños de carácter sexual nos muestran algún aspecto muy íntimo de nuestra persona que no necesariamente es el sexo. Por ejemplo, pueden estar referidos a la psiquis o a los afectos.

* Aunque pueden ser una lisa y llana realización de deseos, no siempre lo son de la manera más directa. Amar a alguien en sueños no necesariamente significa que deseemos sexualmente a ese alguien.

* Por esta razón, cuando nos encontramos en un sueño ante un motivo sexual, es necesario ir más allá de lo evidente para interpretar su significado.

Los sueños en serie

Aunque los sueños en serie no son los más frecuentes, suelen darse con cierta asiduidad. Como las viejas series televisivas o como las telenovelas, un sueño se continúa en otro y el nuevo sueño toma la trama en el lugar mismo en que la abandonó el anterior.

El análisis de estos sueños resulta interesante, porque muestra la complejidad de la psiquis y la manera en que el soñante es capaz de encontrar diversas escenas oníricas para expresar un mismo conflicto o, dicho de otro modo, la forma de periodización que elige para narrar su problema como si se tratara de un cuento o de una novela. Esto significa, entre otras cosas, que el soñante es consecuente con la elaboración onírica de sus conflictos.

El sueño de Ariel

Episodio 1

"Me encuentro de viaje en un lugar que se parece un tanto a China. Formo parte de un tour y estamos en un gran mercado; es un mercado inmenso, en el que se concentran todas las mercaderías de la ciudad.

Se acerca a mí un hombre alto, con rasgos marcadamente orientales y vestido de amarillo. El camina en sentido contrario al de la mayoría de las personas y es seguido por un pequeño grupo. De pronto nos acercamos y él me mira muy fijamente a los ojos. También yo siento el impulso de seguirlo, pero dudo porque temo perderme y no volver a encontrar a mi grupo. Sin embargo, siento que debo seguir a ese hombre, a cualquier precio, aunque me pierda, a pesar de todo..."

Analizando este tramo del sueño, es fácil advertir que el soñante se refiere a su propia psiquis, la cual aparece simbolizada por el mercado. En efecto, un mercado es un sitio en el que, al igual que en la mente, hay de todo, desde pequeños objetos hasta otros importantes. Además, es un sitio en el que es posible elegir, dudar entre una cosa y otra, decidirse por algo.

La persona que aparece en el mercado caminando en dirección contraria a la de la mayoría de la gente y que le genera el impulso de seguirla indica, sin duda, aquello más personal, aquello absolutamente propio que diferencia al soñante del resto.

En términos de Jung, esta figura oriental, vestida de amarillo color que según la teoría de los arquetipos simboliza la energía, puede ser considerada como "el Mesías". Cuando esta figura aparece en los sueños es señal de que el soñante se está conectando con su yo más íntimo, con sus energías básicas. Arquetípicamente, esta figura significa lo divino, aquello que guía al hombre.

En la vida de Ariel, específicamente, ese significado general adquiere características particulares. El debe elegir entre seguir lo más genuino de sí mismo, sus propios impulsos y emociones, o seguir a la mayoría, disolverse en las convenciones sociales.

Episodio 2

"Me encuentro caminando por las calles laterales y olvidadas de un pueblo. Las calles son muy estrechas y las paredes se cierran en torno de mí. Por fin veo un pasadizo entre las paredes que me oprimen. En él descubro una puerta de madera. Llamo, pero nadie me contesta. Debo decidirme a entrar sin permiso.

Abro la puerta, todo está oscuro pero, muy a lo lejos, descubro la túnica amarilla del hombre que encontré en el mercado."

Arquetípicamente, la puerta significa "oportunidad de elección" (véase el "Diccionario de consulta rápida por imágenes"). En el caso concreto de Ariel, esta puerta está relacionada con la figura que aparece en el episodio anterior de su sueño: el hombre vestido de amarillo, que simboliza sus impulsos más íntimos, lo más profundo de su yo.

La puerta continúa ese sentido en tanto Ariel se encuentra ante una elección: optar por lo que siente y quiere, aunque esto no coincida con lo que siente y quiere la mayoría, o elegir en consonancia con las convenciones sociales instituidas.

Episodio 3

"Camino por calles anchas. Casi no se divisan mu-

ros. El paisaje está despejado y ya no siento la sensación oprimente de otros momentos. Sin embargo, la amplitud de las avenidas oscuras y la soledad me inspiran un vago temor. ¿Habré hecho bien en traspasar la puerta?

Me siento a la vez tranquilo, contento y temeroso. Tengo la sensación de que algo está por comenzar."

Ariel ha cruzado la puerta, ha dado el paso que de acuerdo con sus más íntimas convicciones debía dar y se encuentra con el temor natural ante lo desconocido, ante lo que vendrá, pero también con la alegría de haber hecho lo que deseaba.

Sin duda, este sueño remite a alguna situación puntual de su vida. El paso que debe dar puede ser tanto interior (animarse a dar rienda suelta a sus deseos y creencias, a ser él mismo), como exterior (animarse a aceptar un trabajo, a cambiar de oficio, a hacer una carrera).

En este sueño puede verse claramente la realización de un deseo: Ariel se anima a traspasar la puerta que, seguramente, es lo que desea hacer en la vigilia y no le es posible.

El análisis de cada segmento del sueño tiene sentido por sí mismo, pero a la vez permite arribar a un sentido general mucho más amplio. Resumiendo cada episodio, es posible observar que el sentido general se va construyendo por agregados sucesivos de sentidos:

Episodio 1

El soñante ve a alguien en un mercado a quien quiere seguir y no se anima. Seguramente la angustia que le provoca la encrucijada en que está colocado hace que se despierte sin definir la acción.

Episodio 2

La acción que resultaba tan agresiva en el episodio anterior (seguir a un hombre que caminaba contra la corriente) fue sustituida por otra equivalente, pero que inspira menos temor (abrir una puerta cerrada y pasar del otro lado).

La equivalencia entre un acto y otro queda clara por el hecho de que en el ámbito que descubre la apertura de la puerta, nuevamente aparece el mismo hombre que en el episodio anterior. El soñante tuvo que dar un rodeo para llegar hasta él. Por eso, "necesitó dos sueños" para concretar su deseo.

Episodio 3

Por fin, en el episodio último el soñante logra "pasar del otro lado", dar el salto que le provocaba temor, y lo que siente en este momento es otro tipo de miedo: miedo al futuro, a lo que vendrá, a descubrir quién es... finalmente, ha concretado su deseo.

La forma episódica del sueño no es gratuita. Su función fundamental es la de *insistir* sobre el soñante para que no olvide lo soñado y para que el sueño lo lleve a hacerse y a responderse una pregunta que resulte transformadora (véase el "Diccionario de consulta rápida por imágenes").

Qué nos dicen los sueños en serie

* Aunque cada episodio de la serie puede tener sentido completo, el significado general del sueño se va componiendo por la suma de los diferentes episodios que lo integran.

* La periodización del significado tiene por objetivo que el tiempo que demanda su comprensión haga que el soñante

repare en lo que el sueño le dice y no pueda pasarlo por alto.

* Generalmente, adquieren forma seriada, los sueños que aluden a cuestiones muy fundamentales para el soñante, cuestiones capaces de cambiar su vida.

Sueños de embarazo y nacimiento

Aunque determinar el tema de un sueño no es suficiente para conocer su significado, sí constituye una dirección importante para comenzar a lograrlo.

Los sueños de embarazo y nacimiento aluden, en general, al surgimiento de algo nuevo en la vida, algo que antes no existía. Son un símbolo que anticipa grandes cambios.

Si el soñante sueña que está embarazado o que ha dado a luz un niño, significará, en términos generales, que se encuentra en una etapa de desarrollo de un proceso interno muy importante. Poco importa si el que sueña es hombre o mujer, porque este sueño puede darse en cualquiera de los dos casos. El embarazo y el nacimiento son una experiencia del ser humano, independientemente de que para que se produzcan, cada sexo juegue un rol muy preciso.

En el sueño aluden al pasaje a un nuevo estado y, aun cuando la soñante esté realmente embarazada, su sueño de embarazo no se referirá a su embarazo real, sino al pasaje a un nuevo estado en su vida que puede estar dado o no por su verdadero embarazo.

El sueño de Elena

"Estoy en un departamento, acostada en una cama y tengo un niño. Pienso que al día siguiente acudiré al médico con mi hijo para que lo revise y me diga cómo está. Mientras tanto, salgo para encontrarme con mis amigos en el cine.

Desde lejos veo a Mónica. Dudo si decirle que he tenido un bebé, pero finalmente se lo digo. Me da temor decirles a todos que he sido madre; incluso, temo decírselos a mis padres, porque he llevado a cabo lo que en realidad tendría que haber hecho mi hermana.

Contemplo la posibilidad de dar mi bebé en adopción, porque no sabría cómo cuidarlo. Me siento muy angustiada por esta decisión, pero me parece que no tengo otro remedio."

Para comprender este sueño, por supuesto, es preciso tener alguna información acerca de Elena. En su vida real ha conocido a alguien de quien se ha enamorado y teme comunicárselo a su familia porque su hermana, que tiene diez años más que ella, tiene muy poca suerte con los hombres y no puede conformar una pareja. Mientras Elena es agraciada y simpática, su hermana mayor tiene las características contrarias. Para Elena, este hecho siempre ha sido una carga, pero hasta el momento del sueño no tenía demasiada conciencia de ello.

Existe cierto consenso familiar, nunca del todo explicitado, en que Elena no debe hacer que su hermana se sienta mal respecto de su relación con los hombres, e iniciar una relación sentimental con alguien significa inconscientemente para ella dañar a su hermana. En el sueño, por lo tanto, el nacimiento alude a una gran transformación en su vida, que es haberse animado a contradecir los mandatos familiares.

La angustia que le provoca esta decisión es mitigada por la de dar al niño en adopción. A través de este sueño, por lo tanto, pone de manifiesto, simbólicamente, el conflicto familiar y, además, resuelve el problema encontrando una solución alternativa.

Qué nos dicen los sueños de embarazo y nacimiento

* Son un símbolo de grandes cambios que nada tienen que ver con embarazos y nacimientos reales. Estos cambios pueden ser de cualquier índole.

* El significado es el mismo tanto para un hombre como para una mujer.

Sueños de muerte

No es casual que en las cartas de Tarot la Muerte no signifique tal cosa, sino transformación. La muerte como símbolo de cambio es una imagen arquetípica depositada en el inconsciente colectivo y su significado no sólo aparece en los sueños, sino también en el antiquísimo juego de las cartas.

En los sueños, la muerte significa una transformación y un cambio irreversibles. En algunas oportunidades aparece ligada a otros símbolos de similar significado, como la mariposa, que representa lo efímero, y la serpiente que se muerde la cola, símbolo del infinito, del eterno renacer de la vida.

En cierto sentido, todos los sueños aluden a nuestras transformaciones interiores, pero la muerte se relaciona con los grandes cambios, con las decisiones transcendentes a partir de las cuales ya no se vuelve a ser el mismo, a las transformaciones ya sea positivas o negativas sin posible retorno.

El sueño de Mario

"Sueño que me voy a la cama porque estoy muy cansado. Inmediatamente me quedo dormido y, sin embargo, puedo sentir la pesadez de mis piernas, la tibieza de las sábanas, el ruido de los automóviles que pasan por la calle. Intento abrir los ojos y no puedo. Quiero ponerme de pie y no lo consigo. ¡Ni siquiera puedo mover una mano!

'¿Qué me sucede?', me pregunto, y alguien que está a mi lado me responde: 'Estás muerto, has muerto hoy a las diez de la noche'. Siento una gran desesperación, pero también un gran placer por la pesadez de todo mi cuerpo, por la profundidad con que descanso.

'¿Por qué he muerto?', pregunto a quien está a mi lado. 'Era necesario que murieras; de lo contrario jamás llegarías al cielo, que es adonde quieres llegar. Los ángeles te esperan. Ahora te pondrán en el convento y allí te quedarás para siempre..."

Este sueño pertenece a un joven que 22 años, quien, desafiando el deseo familiar, decidió tomar los hábitos y ser sacerdote. Esto fue lo que soñó el día anterior a ingresar en el seminario.

Su decisión había sido muy difícil, por cuanto pertenecía a una familia contraria a la religión y que, por su ideología política, veía con desagrado a la Iglesia. Aunque Mario algún día se arrepintiera de ingresar al seminario, su decisión tenía carácter definitivo, en tanto para tomarla había tenido que enfrentarse al núcleo familiar y, además, abandonar una relación de dos años con una chica que lo quería y a la que él había querido. Su vocación religiosa, sin embargo, se imponía en vida de una manera insoslayable, y ya no podía rehusarse a seguirla.

Lo que moría en él era la vida mundana, el amor de una mujer, el cobijo de la casa paterna. Pero algo nacía de esa muerte y lo que nacía era, precisamente, su nueva existencia que lo llevaría a ser un sacerdote.

Qué nos dicen los sueños de muerte

* Los sueños de muerte no auguran nada malo ni, como sostiene la creencia popular, alargan la vida.

* Su sentido fundamental es indicar que se están produciendo transformaciones irreversibles en el soñante, a partir de las cuales ya no volverá a ser el mismo.

Sueños de guerra y catástrofe

Los sueños de guerra y catástrofe no son fáciles de analizar, porque siempre remiten a varios elementos. Por supuesto, las partes en pugna siempre aluden a conflictos personales, a "tironeos" interiores a los que no les podemos dar solución. Pero nuestros conflictos pueden obedecer a causas diversas.

En efecto, podemos tener conflicto con la autoridad, con la sexualidad, con las emociones, con la historia familiar, con nuestras imposibilidades de hacer tal o cual cosa... Por lo tanto, decir que la guerra alude a los conflictos es una generalización excesiva. No es excesivo, en cambio, decir que da cuanta de aquel conflicto que nos genera, entre todos, el máximo grado de tensión.

Al igual que los sueños de muerte, los de guerra y catástrofe se relacionan con los grandes cambio pero, a diferencia de aquéllos, remiten sobre todo a los cambios emocionales. Suelen experimentar este tipo de sueños quienes han reprimido alguna emoción por mucho tiempo y de pronto sienten una imperiosa necesidad de expresar, o la emoción aflora incluso a su pesar.

Reencuentros, hechos inesperados, pérdidas de seres queridos, rupturas, pueden ocasionar la irrupción de afectos o emociones descontroladas que se expresan en el sueño bajo la forma de la devastación.

El sueño de Silvia

"Camino por un campo desolado. Sé que hay guerra, aunque no escucho bombardeos ni tiros. Simplemente lo sé y tengo miedo de que me alcance una bala.

A lo lejos, veo un soldado que está cavando una fosa y sé que la está cavando para mí. No puedo advertir de qué modo lo sé, pero lo sé a ciencia cierta. Me da una inmensa tristeza saber que esa fosa me está destinada, pero sigo avanzando hacia ella y en cada paso siento la angustia del fin."

Silvia había tenido un serio problema de salud. Viuda y con una hija de dos años, recibió cierto día la noticia de que tenía leucemia. El impacto de la noticia fue tan grande y el terror de dejar sola a su hija tan intenso, que Silvia decidió que no le daría lugar a la enfermedad en su vida.

Viajó a Estados Unidos alegando razones de negocios y se sometió a los tratamientos más recientes. Todo esto lo hizo sin decirle nada a su familia ni a sus amigos. Nadie se enteró de su diagnóstico. No quería que la compadecieran.

Luego de seis meses de no derramar una lágrima, se hizo un chequeo y el médico le dijo que estaba curada. Su mal había remitido y ya no tenía leucemia. Curiosamente, fue en ese momento que Silvia comenzó a sentirse emocionalmente inestable. Su sueño le dio la magnitud de la angustia que había vivido y de la inmensa soledad en la que se había encontrado. Tan angustiada la hizo sentir ese sueño y fue un indicador tan eficaz de la angustia que albergaba en su interior, que Silvia decidió a partir de ese hecho comenzar un tratamiento terapéutico.

Qué nos dicen los sueños de guerra o catástrofe

* Los sueños de guerra o catástrofe nos informan acerca de nuestro estado emocional y nos alertan sobre un desborde inminente.

* Constituyen un excelente indicador de estados de angustia que no son demasiado conscientes.

* Señalan la magnitud que un suceso determinado ha tenido en nuestro interior.

Las pesadillas

Las pesadillas constituyen un material de análisis muy importante, por dos razones fundamentales:

a) Todo el mundo las tiene alguna vez en la vida.

b) Su impacto sobre la mente consciente es tan grande que se las recuerda durante mucho tiempo, a veces hasta meses o años.

El lector se preguntará con razón por qué hemos incluido este tipo de sueño particular, que son las pesadillas, fuera de las producciones oníricas de devastación y guerra, por ejemplo, o fuera de los sueños de muerte. La respuesta a esta pregunta es la siguiente: las pesadillas se distinguen entre todos los sueños por el monto de angustia que producen. A veces, tal angustia coincide con el horror causado por las imágenes que aparecen en el sueño; otras, en cambio, no se relacionan con las imágenes en sí, sino con aquello a lo que aluden, no siempre develado claramente en el sueño.

Una imagen cualquiera, no necesariamente relacionada con la angustia, puede resultar muy angustiante. El hecho mismo de morir, en cambio, no necesariamente conlleva la angustia de una pesadilla en tanto, como vimos anteriormente, la muerte se relaciona con la transformación.

¿Por qué nuestra psiquis nos presenta a veces imágenes terroríficas?

Una razón: para que les prestemos atención. Una pesadilla, sobre todo si es recurrente, nos está ofreciendo un material muy rico para el análisis sobre el que, seguramente, valdrá la pena detenerse.

Es preciso tener en cuenta que los sueños son, entre otras cosas, posibilidades de autoconocimiento que nos ofrece nuestro inconsciente. Sin embargo, las pesadillas son producciones oníricas particularmente difíciles de analizar, por la simple razón de que volver sobre ellas cuando estamos despiertos nos remite a la angustia del sueño. Muchas veces el análisis es lento y el sentido completo de la pesadilla tarda mucho tiempo en emerger, dado que el proceso de enmascaramiento que es propio del sueño se ha cargado de caracteres que, al igual que aquello que enmascaran, producen rechazo a la conciencia.

El sueño de Vera

"Entra un hombre en mi casa. Es bajo, gordito y le falta cabello. Le dicen 'el gallego'. Yo tengo en el sueño unos ocho años. En realidad nunca quise a este hombre, que era muy amigo de mi padre y que existía en la realidad.

En el bolsillo de atrás del pantalón lleva un cuchillo ensangrentado. En ese momento me doy cuenta de que el hombre acaba de matar a mi familia, que estaba compuesta por mi madre, mi padre y mis dos hermanas. Siento deseos de matarlo. Lo que es más terrorífico del sueño es este deseo. Lo que me produce terror es, precisamente, que sé que lo voy a matar, que nada podrá impedirme que lo haga, que mi furia y mi dolor son tales que no podré evitar el crimen.

Hace muchos años que soñé esto, era casi una adolescente, pero el recuerdo de este sueño me ha acompañado durante toda la vida. Esa pesadilla tuvo para mí el carácter de una revelación, en tanto me mostró lo que yo creía que era imposible: que podía experimentar el genuino deseo de matar y no sentir culpa."

Las pesadillas son inolvidables precisamente porque, tal como lo dice Vera a propósito de su mal sueño, suelen tener el carácter de una revelación. Aluden a los núcleos conflictivos más profundos y tocan verdaderos puntos nodales. Por esta misma razón suelen ser recurrentes, es decir, repetirse varias veces, hasta tanto ese núcleo conflictivo es revisado en el análisis o se diluye por algún cambio en la situación circundante.

¿Qué nos muestran las pesadillas?

* Se caracterizan por producir un monto de angustia que no necesariamente está justificado por las imágenes.
* Muestran puntos nodales de nuestros conflictos, revelan lo más oculto, por eso se recuerdan durante mucho más tiempo que el resto de los sueños.

Otros motivos oníricos

Aunque los que anteceden son los motivos oníricos universales más recurrentes, existe una gran diversidad de ellos. Sólo citaremos brevemente algunos más:

* Sueños con casas

Las casas y sus habitaciones aluden al yo. Es frecuente soñar que se ven en una casa nuevas habitaciones, o que se descubre que la casa es diferente a como se creía. Estos sueños aluden a descubrimientos de rasgos desconocidos de uno mismo, ya sea positivos o negativos. Por esta razón, conviene investigar bien las raíces de este sueño, para determinar qué es aquello nuevo que detectamos en nosotros y favorecer su crecimiento si es positivo y desalentarlo si no lo es.

* Sueños con agua

El agua, sustituto en los sueños del líquido amniótico, alude a nuestros instintos básicos, a los constituyentes primarios de nuestra personalidad. Suelen producir angustia, precisamente porque nos retrotraen a un pasado del que no tenemos memoria consciente y del que hemos sido expulsados definitivamente con el crecimiento.

* Sueños en los que se vuela

Aluden a la capacidad para trascender la realidad ordinaria (véase el "Diccionario de consulta rápida por imágenes") y por esta razón suelen resultar sumamente placenteros. Enmascaran un inconfesado deseo de superación.

CAPITULO 4

La lógica del sueño y del inconciente: contradicción, condensación y desplazamiento

"Es muy ventajoso para el análisis de un sueño dividirlo en sus elementos y buscar las ocurrencias que se enlazan a cada uno de ellos."

Sigmund Freud

"Despierto puedo engañarme sobre mí mismo; en cambio, el sueño me proporciona la justa medida del grado de perfección moral que he conseguido alcanzar."

León Tolstoi

El sueño no es, como podría pensarse y de hecho se ha pensado alguna vez, un material confuso lleno de asociaciones anárquicas y sin sentido. Es, por el contrario, una versión distorsionada y disfrazada de procesos psíquicos. Para encontrar el significado de los sueños, es necesario traducirlos al lenguaje de la vigilia. ¿Pero sobre qué lengua secreta se realiza esta traducción?

El lenguaje del sueño, al igual que el de la vigilia, tiene normas precisas, lo que equivale a decir que se rige por una gramática determinada. Cuando se traduce el lenguaje onírico al lenguaje diurno, lo que se está haciendo es traducir una escritura jeroglífica, es decir, descubrir en el *contenido manifiesto del sueño* (lo que el soñante narra del sueño tal como lo recuerda) el *contenido latente* (el significado oculto).

Para descubrir el significado latente, es preciso recorrer el camino inverso del sueño y desenmascarar lo que éste ha enmascarado. Los mecanismos de enmascaramiento son:

1. Condensación
2. Desplazamiento

3. Dramatización
4. Contradicción

1. Condensación

Todo elemento del contenido manifiesto representa diversos pensamientos del sueño. Según palabras de Freud, todo elemento del contenido manifiesto está sobredeterminado. Si pensamos en una traducción, podría decirse que lo que dicho contenido traduce de una manera simple tiene varios significados o, expresado de otra forma, que el texto del contenido latente es siempre más largo que el texto del contenido manifiesto.

Este proceso de enmascaramiento es el responsable de que nuestros sueños nos causen, al despertar, tal situación de extrañeza. La condensación se produce de varios modos diferentes, pero, sin duda, el más importante de ellos es la composición.

Composición: Una figura del sueño puede estar construida por la confluencia de rasgos pertenecientes a más de una persona real. Por ejemplo, Patricia soñó con una mujer que tenía la misma piel que su madre, pero el color de ojos de ella misma.

Del mismo modo, puede ocurrir con los nombres. Freud cita al respecto el nombre "Norekdal", formado por la fusión de "Nora" y "Ekdal", dos personajes de Ibsen.

La fusión puede reunir, incluso, más de dos elementos. En el sueño de Adriana, por ejemplo, aparecía la palabra "yaguarán", en la que pueden observarse varios elementos constitutivos diferentes:

- "Yaguar" es la forma encubierta del nombre de un animal, el jaguar.
- La palabra "yaguarán" contiene la palabra "ya".
- La palabra "yaguarán" contiene la palabra "agua".

- La palabra "yaguarán" evidencia la forma gramatical de un futuro que podría tener el siguiente significado: "ya-agua-harán".

Los neologismos que aparecen en los sueños tienen el mismo mecanismo de composición que los personajes. Estos elementos del contenido manifiesto son muy ricos en asociaciones y cumplen más de una función: una de ellas es, sin duda, la de lograr sortear la censura de la conciencia.

Pero cada elemento del sueño no se relaciona sólo con diversos elementos de la vida real, sino también con otros elementos del sueño. Lo que puede verse a través del análisis, por lo tanto, es que los sueños tienen un entramado, que está tejido como una red. En ellos hay un verdadero trabajo realizado por el soñante.

2. Desplazamiento

No existe una correlación exacta entre la intensidad psíquica de los elementos del contenido latente y del contenido manifiesto. Un elemento que narrado por el soñante suele parecer el más importante a simple vista, puede revelarse como intranscendente luego del análisis. Y, a la inversa, un elemento aparentemente sin importancia alguna, puede tener mucha y ser, en realidad, el elemento protagónico. Freud utiliza una frase de Nietzsche para describir este proceso como una "transmutación de los valores".

El desplazamiento también explica mucho de la extravagancia de los sueños, especialmente la falta de correspondencia entre la intensidad del afecto experimentado y el contenido intelectual del sueño. La muerte, por ejemplo, puede estar representada por el sueño, o por el simple hecho de que alguien aparezca inmóvil o con los ojos cerrados. La angustia producida por este hecho, por lo tanto, no se corresponderá con el contenido manifiesto del sueño, sino con su contenido latente.

Freud afirmaba que "cuanto más oscuro y confuso es un sueño, más participación debe atribuirse en su formación al factor desplazamiento".

3. Dramatización

El contenido manifiesto de la mayoría de los sueños es predominantemente visual. Los diversos pensamientos del sueño se expresan bajo la forma de una escena. Los procesos mentales están dramatizados de manera que el pasado y el futuro se desarrollan ante nuestros ojos, en una acción presente. Un viejo deseo, por ejemplo, que puede estar referido al futuro, puede verse realizado en una situación presente.

4. Contradicción

Como sucede en el inconsciente, una cosa puede ser ella misma y su contraria. Por ejemplo, en un sueño es posible encontrarse nadando en el mar y, simultáneamente, encontrarse en un vestíbulo sobre un piso bien seco de madera. Por eso, en los sueños es posible tener el don de la ubicuidad (estar en dos o más lugares al mismo tiempo), un objeto puede ser rojo y, a la vez, azul. Toda contradicción queda anulada en un sueño.

Además de los mecanismos de enmascaramiento del contenido latente de un sueño, es necesario tener en cuenta que, en casi todas las producciones oníricas, aparece disfrazado, lo que Freud denominó *resto diurno*, es decir alusiones a los momentos de la vigilia previos al sueño.

Los esquemas oníricos

De lo dicho anteriormente es posible deducir

que no soñamos de manera anárquica, siempre de un modo diferente, sino siguiendo determinados patrones que se repiten una y otra vez y que lo hacen de manera idéntica, siempre con diferentes materiales.

El poder de los sueños para enseñarnos algo acerca de nosotros mismos consiste, precisamente, en que nos muestra repeticiones, algo que siempre ocurre de la misma manera y que, por lo tanto, a través de su insistencia nos dice algo fundamental de nuestra personalidad.

Sin embargo, a pesar de seguir un patrón general, nuestros sueños son únicos; son, como hemos dicho, creaciones absolutamente personales. Si bien no podemos evadirnos del mecanismo de condensación, desplazamiento, dramatización y contradicción, sí podemos llenar esos moldes vacíos con nuestros propios materiales para obtener resultados diferentes y originales.

Por esta razón, el análisis de los sueños consiste en el rastreo de lo que es común, para descubrir lo que es diferente. Por lo tanto, para extraer lo más original de un sueño, habrá que proceder de la siguiente forma:

a) Revisar el contenido manifiesto del sueño sin omitir ningún detalle por más disgusto que nos produzca. Para lograr revisar el sueño, se necesita honestidad para no excluir lo que produce dolor o lo que sospechamos que puede tener derivaciones que, luego del análisis, se revelen como dolorosas.

b) Determinar cuáles son los mecanismos de enmascaramiento que se han utilizado en el sueño. Los números, las palabras compuestas o neologismos, los personajes que se forman con rasgos de otros, deben atraer toda nuestra atención, porque seguramente contienen datos interesantes para nuestro análisis.

c) Establecer, a través del análisis, cuál es el deseo que encubre y realiza el sueño.

d) Resumir en una sola palabra o frase corta el sentido fundamental del sueño.

Análisis de sueños concretos

Freud aportó un material riquísimo para la interpretación de sueños. Dicho material provenía tanto de sus propias producciones oníricas como de las de sus pacientes. En ellas es posible rastrear, como en todo sueño, el proceso distorsionador que lleva del contenido manifiesto al contenido latente.

Sueño del carnicero

(de una paciente de Freud)

"Va al mercado con su cocinera, la cual lleva su cesta. El carnicero, al que piden algo, les contesta: 'No hay ya', y quiere despachar otra cosa diferente, observando: 'Esto también es bueno'. Ella rehúsa la oferta y se dirige al puesto de la verdulera, quien quiere venderle una extraña verdura, atada formando un manojo de color negro. Ella dice entonces: 'No he visto nunca cosa semejante. No la compro'.

La frase 'no hay ya' procede del tratamiento. Yo mismo había explicado a la paciente, días antes, que en la memoria del adulto 'no hay ya' nada de sus antiguos recuerdos infantiles, los cuales han sido sustituidos por transferencias y por sueños. Soy yo, por tanto, el carnicero.

La segunda frase: 'no he visto nunca cosa semejante', fue pronunciada en otra ocasión totalmente distinta. El día anterior había exclamado la paciente al regañar a su cocinera, quien, como hemos visto, aparece también en el sueño: 'Tiene usted que conducirse más correctamente. No he visto nunca cosa semejante', esto es, 'no permito tal comportamiento'.

La parte más inocente de esta frase llegó por desplazamiento a incluirse en el contenido del sueño. En cambio, en las ideas latentes sólo el otro trozo de la frase desempeñaba un papel determinado, pues la elaboración del sueño transformó hasta hacerla irreconocible, y darle el aspecto de una total inocencia, una situación fantástica, en la cual yo me conducía incorrectamente en cierto sentido con la señora de referencia.

Esta situación, esperada en la fantasía, no es, además, sino una nueva edición de una escena realmente vivida por la paciente en ocasión anterior."

Un sueño con números

"Un sueño a primera vista insignificante en el que aparecen números. Ella quiere pagar alguna cosa; su hija saca de su bolsillo 3 florines, 65 céntimos. Pero ella le dice: '¿Qué haces?, no cuesta más que 21 céntimos'.

El sujeto de este sueño era una señora extranjera que había hecho ingresar a su hija en un establecimiento pedagógico de Viena y que se sometió a mi tratamiento. En el día del sueño, le había indicado la directora del establecimiento la conveniencia de dejar en él a su hija un año más.

En ese caso, ella hubiera podido prolongar por dicho tiempo su tratamiento curativo. Los números del sueño adquieren su significación al recordar que el tiempo es oro. Time is money. Un año es igual a 365 días o, expresado en céntimos, a 365 céntimos (3 florines, 65 céntimos).

Los 21 céntimos corresponden a las 3 semanas

que restaban hasta el final del año escolar y, por tanto, hasta el día en que habría que dar por terminado el tratamiento.

Eran seguramente razones económicas las que habían llevado a la señora a rechazar la indicación de la directora del colegio y las que motivaban la pequeñez de la cantidad que aparecía en el sueño."

Análisis esquemático de un sueño perteneciente a Adriana y cedido para ser analizado en este libro

Relato del sueño o contenido manifiesto

"Nos encontrábamos en mi trabajo (Adriana trabaja como secretaria del director de una revista). Uno de los fotógrafos decía haber viajado a Miami a comprar cámaras. Las mejores, según él, eran las cámaras de la marca 'Yaguarán' (en este nombre ya se ha analizado el proceso de condensación que remite a tres elementos fundamentales: un jaguar, agua y tiempo futuro).

Una mujer llamada Helena, redactora, también debe realizar un viaje. Previamente muestra una operación que ha sufrido durante el fin de semana: entre los labios mayores de su vagina se le ha colocado una tira de piel. Aunque en el sueño no se dice, luego de esta operación no podrá ser penetrada por ningún hombre."

Asociaciones e identificación de los mecanismos de enmascaramiento

"Yaguarán": "ya-agua-harán, jaguar". Este elemento se asocia con un hecho sexual traumático en la vida de Adriana, ocurrido cuando ella era chica. En la terapia ha visto que le teme mucho al agua, porque cuando no puede ver el fondo tiene miedo a que se le presenten animales peligrosos, pero no tanto peces como mamíferos.

El jaguar alude a la figura que ella estaba mirando en un libro cuando ocurrió ese suceso infantil, con una persona mayor allegada a la casa. El jaguar de la figura se encontraba en una zona pantanosa, es decir, con agua. Para ella este animal, por la proximidad con el hecho traumático, quedó indisolublemente asociado a él. En el sueño le es revelado el porqué de su temor al agua. "Ya-agua-harán" significa, de alguna manera, este animal se te aparecerá en el futuro para indicarte que te encuentras en una situación de posible peligro.

Por otra parte, Adriana asoció el nombre "Helena" con Helena de Troya, de la que hacía pocos días había leído que la leyenda no dejaba bien claro si había sido obligada por su raptor, Paris, a abandonar Esparta y viajar a Troya —hecho que desencadenó una guerra sangrienta— o si, enamorada de Paris, se había ido por su propia voluntad.

Esta es, precisamente, la duda de Adriana: ¿hasta dónde aquel hombre de su infancia la obligó a tener un encuentro sexual y hasta dónde actuó su propio deseo?

En el sueño, el conflicto era resuelto por medio de una operación quirúrgica que, al no permitir la penetración, desactivaba cualquier peligro de tentación. Por lo tanto, Adriana corregía retrospectivamente la situación de su infancia, liberándose de los peligros a que podía exponerla el deseo.

Además, como aficionada a la literatura, recordó que Lewis Caroll, el autor de *Alicia en el país de las maravillas*, era un perverso al que le gustaba fotografiar niñas desnudas. De allí que fuera, precisamente, una cámara fotográfica la que recibiera el nombre de "Yaguarán".

Develación del contenido latente

En el sueño, Adriana es advertida de que ese hecho traumático la acompañará toda la vida, bajo la forma del miedo que sentirá en el agua. Para solucionar este problema, Helena —Helena de Troya y ella misma en el sueño— se hace una operación vaginal que le impedirá relacionarse con ningún hombre. La utilidad del sueño es corregir retrospectivamente el hecho que le causó dolor.

Deseo satisfecho

Por medio del sueño en que una operación eliminaba la posibilidad de satisfacer cualquier deseo sexual, Adriana se liberó de la culpa que la atormentaba desde pequeña por no saber cuál había sido su participación concreta en ese hecho. La liberación de la culpa es el rédito que obtuvo del sueño.

Ejercicio

En un sueño suyo o de alguien allegado trate de establecer, identificando los diferentes mecanismos de distorsión, el contenido manifiesto y el contenido latente.

¿De qué herramientas es posible valerse para analizar un sueño?

Para pasar del contenido manifiesto al contenido latente de un sueño, es preciso reconocer sus procesos de enmascaramiento. Estos son cuatro, de los cuales los primeros dos son los más importantes:

* La condensación: Todo elemento está sobredeterminado, es decir que representa uno o más pensamientos del sueño.
* El desplazamiento: La importancia de las figuras del sueño no se corresponden necesariamente, con el valor que tiene cada una en la construcción onírica.
* La dramatización: Todo pensamiento del sueño aparece como una escena.
* La contradicción: En el sueño queda anulado el principio de identidad. Una cosa puede ser, a la vez, muchas otras, incluso su contraria.

CAPITULO 5

Los ocho pasos fundamentales para analizar un sueño y aprovecharlo para mejorar nuestra vida

1. Registre el sueño

Los sueños se olvidan con mucha facilidad. Aun cuando al despertarnos tengamos una imagen muy vívida de lo que hemos soñado, es posible que el ritmo de la vida diurna nos haga olvidar nuestra visión nocturna muy fácilmente. Por esta razón, registrar el sueño para que no se esfume en la vorágine de lo cotidiano, es el primer paso ineludible para poder llevar a cabo un análisis.

El problema que ofrece el registro de los sueños es que éstos no ocurren de forma lineal, en una, dos, tres o más secuencias, como los acontecimientos que suceden en la vigilia. Por esta razón, si se resumiera el sueño en dos o tres párrafos escritos, uno a continuación del otro, se estaría violando su sentido original y la forma en que los acontecimientos están relacionados unos con otros.

La mejor forma de registrar los sueños es hacerlo encerrando los sucesos principales en círculos relacionados y a la vez independientes, de la manera que sigue. Esta forma de registro toma mucho menos tiempo que el relato convencional del sueño y permite solucionar el problema de la simultaneidad que suelen tener los sucesos del sueño.

Para cada elemento dibuje un círculo lo suficientemente grande como para poder expresar en él la importancia de cada imagen o suceso. Use un círculo para encerrar unas pocas palabras que describan la acción central y algunos círculos más pequeños para representar la secuencia de episodios relacionados con ese acontecimiento central.

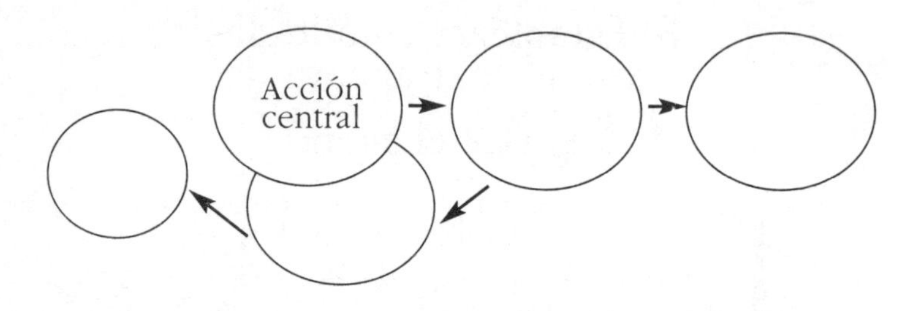

Luego, determine cuáles son las imágenes principales que conforman el argumento del sueño y, encerrándolas en nuevos círculos, trate relacionarlas unas con otras. Este segundo esquema sería un resumen más elaborado del primero. (Véase la "Planilla de recolección del argumento del sueño".)

Le tomará cierto tiempo sentirse a gusto con esta forma de recuperar los sueños, pero cuando se acostumbre a ella se dará cuenta de que resulta sumamente productiva.

2. Detecte la palabra o la frase clave que exprese su sentimiento respecto del sueño

Este segundo paso es más bien de introspección. Usted debe formularse a sí mismo la siguiente pregunta: "¿Qué siento en mi sueño?" o "¿Cómo me hace sentir el sueño?"

La respuesta debe ser sencilla y del tipo: "curioso", "asustado", "confundido".

En algunos casos, la respuesta puede ser más compleja, del tipo: "Me gustaría saber por qué el sueño me angustia tanto" o "Me gustaría saber por qué el sueño me produce tanto bienestar". Escriba esta frase en su planilla de recolección de sueños.

3. Establezca similitudes entre el sentimiento del sueño y el de la vigilia

Aunque establecer la fuente el resto diurno de cada una de las imágenes del sueño sería engorroso, trate de hacerlo con las secuencias principales. Por ejemplo:

a) Imagen del sueño: Estoy en la peluquería cortándome el cabello.

b) Resto diurno: El día anterior al sueño había estado en la peluquería cortándome el cabello.

4. Determine el significado de las actividades del sueño

Liste todas las actividades que encuentre en el sueño, por ejemplo:

* Ir de compras.
* Hacer gimnasia.
* Comprar un nuevo departamento o una nueva casa.
* Dormir.
* Etc.

Por lo general, cuando realizamos en la vigilia algunas de estas actividades, no estamos concentrados en el significado que tienen en sí mismas, sino en problemas de diferente índole. Por ejemplo, si salimos de compras nos preocuparemos de dónde comprar, qué comprar, para quién, a qué precio, cuánto, etc. Sin embargo, se nos pasará por alto qué significado tiene para nosotros la acción de comprar, por ejemplo:

* Evadirse de los problemas.
* Gratificarse.
* Tener la posibilidad de gratificar a otro.
* Ocultar los problemas reales.
* Sentir que podemos realizar nuestros deseos.
* Etc.

Luego de establecer el sentido personal que esta actividad tiene para usted, remítase al "Diccionario de consulta rápida por imágenes" y verifique si encuentra la actividad soñada u otra similar. Constate en qué medida el sentido general de dicha actividad se acerca o se aleja del sentido particular que tiene para usted.

5. Identifique qué parte suya representa cada elemento del sueño

Haga una lista de los caracteres y figuras que aparecen en su sueño y examínelos uno por uno. A continuación, caracterice a los personajes con uno o dos adjetivos. Por ejemplo:

* Mi marido es (en el sueño) gracioso y sincero.

A continuación, establezca qué aspectos de usted mismo están reflejados en estas figuras del sueño. Por ejemplo, si alguna de las figuras es tímida y usted también lo es; si alguna de las figuras es vergonzosa y usted también lo es, etc.

Cuando en su sueño aparezcan extraños, trate de establecer cuál es su rol o profesión y remítase para su significado al "Diccionario de consulta rápida por imágenes". Por ejemplo, si usted sueña con un dentista, encontrará que esta figura significa "reparación de un daño físico o moral" y que implica una pregunta determinada.

6. Liste los lugares, objetos, colores y sucesos del sueño

Haga una lista de objetos, lugares, colores y sucesos del sueño, especialmente de aquellos que tengan una importancia relevante. Luego, remítase al "Diccionario de consulta rápida por imágenes" y determine las asociaciones pertinentes.

Allí encontrará sentidos positivos o neutros. Si en su sueño hay sentidos particulares, consígnelos. Por ejemplo, "perro enojado". "Perro" significa incondicionalidad del amor y lealtad, pero el adjetivo "enojado" debe hacerle reformular su pregunta: *¿Por qué me enoja la falta de lealtad o de incondicionalidad?*

7. Determine qué cambiaría del sueño si pudiera hacerlo

Incluso un mal sueño puede ser un estímulo para el cambio. Todos los elementos de su sueño le pertenecen, de modo que puede cambiarlos a voluntad. Los cambios que realice en su sueño comenzarán a manifestarse también en la vigilia.

Comience por imaginar un final diferente para su sueño. Reescríbalo de manera distinta. Cuando piense otras soluciones o alternativas para los problemas que se le plantean en el sueño, usted estará haciendo uso de lo que se llama "pensamiento lateral", es decir, una forma de pensamiento que por lo general está anulada por la lógica diurna, pero que es mucho más creativa que la forma habitual.

Así, usted será capaz de manipular imágenes generadas en diferentes niveles de su inconsciente, para resolver problemas y limitaciones de su vida diaria.

Cuando encuentre soluciones satisfactorias para un problema de larga data, revea su plan de acción antes de irse a dormir. Es muy probable que vuelva a soñar el mismo sueño con un nuevo final y, de esta forma, el problema podrá comenzar a resolverse en su vida real. Esto, por supuesto, no sucederá de un día para otro. Tendrá que armarse de paciencia y depositar mucha confianza en esta forma inusual de solucionar conflictos.

8. Detecte la enseñanza del sueño

El sueño no siempre puede resumirse a modo de moraleja del tipo "no debo preocuparme por cosas que realmente no tienen importancia" o "debo valorar lo que tengo". Sin embargo, es útil hacer el intento de detectar en el sueño alguna enseñanza, alguna lección. Si no se encuentra, es preciso, al menos, establecer bien la temática. Por ejemplo, "este sueño me habla de problemas sexuales", o "este sueño se refiere a problemas con mi afectividad".

De esta forma, con el tiempo podrán consignarse cuáles son los temas recurrentes que aparecen en sus producciones oníricas, y, en consecuencia, saber cuáles son los temas que le preocupan en su vida diaria.

Para recolectar sus sueños, sírvase de la planilla que presentamos a continuación.

Planilla de recolección del argumento del sueño

Palabra clave	Similitudes del sentimiento del sueño y la vigilia	Significado de las actividades	Personajes	Características de los personajes	Lugares	Objetos	Colores	Sucesos	Cambios	Enseñanza/s

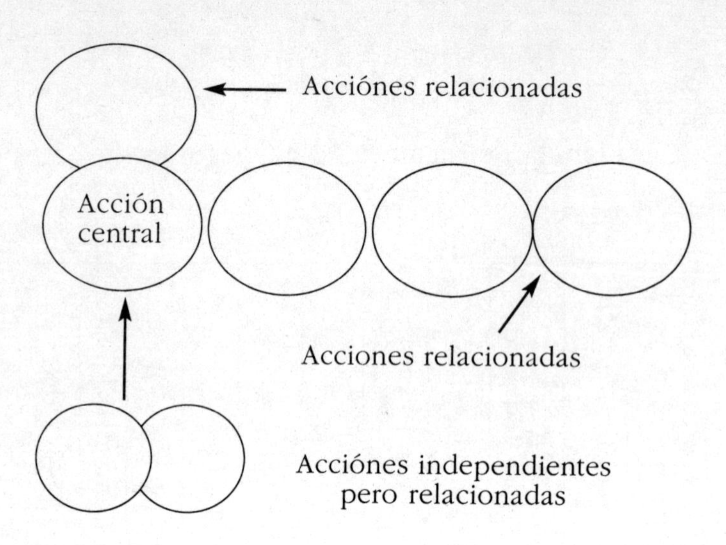
Acciónes relacionadas
Acción
central
Acciones relacionadas
Acciónes independientes
pero relacionadas

CAPITULO 6

Cómo convertirse en su propio analista

"Conocer nuestros sueños es conocernos a nosotros mismos."

Lao-Tsé

"El árbol que sueño es el árbol que está en mí, la nube que sueño es la nube que está en mí. Los sueños constituyen un universo que está encerrado en mi propio ser."

Libro de la sabiduría y la templanza, siglo II

Al plantear la existencia del inconsciente como activo reservorio de imágenes e ideas, Sigmund Freud llevó a cabo una de las revoluciones culturales más importantes del siglo XX. El hombre ya no fue considerado un ser regido por su propia voluntad consciente, para transformarse en un sujeto sobre el que fuerzas oscuras y desconocidas ejercían una presión poco menos que tiránica.

En efecto, si las motivaciones de sus acciones superaban el filtro de la conciencia, el individuo sólo era responsable en parte de sus actos y de sus elecciones. Para dar cuenta de ellos, por lo tanto, no sólo debía interpelar a su costado consciente, sino también a su parte inconsciente.

Pero, ¿de qué modo se puede indagar el inconsciente?, ¿cómo desentrañar los misterios que encierra?, ¿de qué forma penetrar en esa misteriosa red asociativa que subyace a los actos más triviales y los más trascendentes de la vida de un individuo?

Freud contestó a todas estas preguntas de manera definitiva: "Los sueños dijo son la vía regia de acceso al inconsciente". Pero, ¿cómo liberarse de las trabas que impone la conciencia para alcanzar los tesoros del inconsciente? Al cabo de sus estudios, fue dando diferentes respuestas a esta pregunta. En un principio se valió de la hipnosis, de ciertas drogas e incluso de lo que hoy se conoce como "imposición de manos". En efecto, colocando sus propias manos sobre la cabeza del paciente, creyó encontrar una forma de penetrar en ese misterioso mundo inconsciente que había permanecido oculto para la ciencia durante siglos.

Con el tiempo, sin embargo, desechó cada uno de estos métodos y se quedó, como ya lo hemos especificado en capítulos anteriores, con la asociación libre.

Todos tenemos la capacidad de asociar libremente, pero esta actividad, que se ejercita y se agudiza con la práctica, necesita de la presencia de un otro que la haga posible, dado que, siempre que asociamos, lo hacemos para otro, para alguien. Y ese alguien es, sin duda, el analista.

Ahora bien, los tratamientos psicoanalíticos suelen ser largos y costosos y tienen ciertas implicancias que exceden el análisis de los sueños. No vamos a incursionar en el terreno que es propio de la psicología y los psicólogos. En cambio, sí vamos a tomar de la práctica de los psicoanalistas su método particular para analizar los sueños, que ha demostrado ser, desde los tiempos de Freud, una excelente herramienta de autoconocimiento.

Usted puede montar su propio consultorio y transformarse en su propio analista; esta afirmación no puede resultarle excesiva a nadie, y mucho menos a los profesionales del campo de la psicología, dado que el propio Freud postulaba el autoanálisis como una forma de arrojar claridad sobre las tinieblas del inconsciente y sacar a la luz los conflictos más íntimos, esos que nos resulta imposible hacer conscientes.

El desdoblamiento entre analizado y analista

Quienes tienen cierta práctica en el método analítico saben por experiencia que los sueños comienzan a adquirir sentidos insospechados ni bien empiezan a ser referidos en la sesión de análisis. Este hecho obedece a que, como dijimos, la asociación libre necesita de un otro, de un auditorio "conformado por una sola persona". En este sentido, puede decirse legítimamente que la asociación libre es una suerte de diálogo, un "monólogo en compañía".

Por lo tanto, para convertirse en el analista de uno mismo, se impone producir un desdoblamiento que nos transforme a la vez en actor y público. Para lograr este desdoblamiento, proceda de la siguiente forma:

a) Cuéntese el sueño a usted mismo

Esta sugerencia, que parece tan sencilla de cumplir, no lo es tanto. En efecto, no tenemos la práctica de relatarnos cosas a nosotros mismos. Nos transmitimos ideas, impresiones, sensaciones, pero todo esto no tiene la forma de una narración, como sí la tiene el sueño.

Los relatos siempre nos vienen de afuera: de los amigos, de los conocidos, de los parientes, de los libros, del cine, de la radio, de la televisión, etc. Y, como es fácil comprobar, estos relatos tienen una voz audible. Por lo tanto, para narrarse a uno mismo, es preciso respetar la siguiente premisa.

b) Cuénteselo en voz alta

Este paso es sumamente importante dado que, al escucharse a usted mismo, automáticamente operará el desdoblamiento entre analizado y analista. En efecto, usted será a la vez dos personas, el que habla y el que escucha. Usted podrá comprobar muy fácilmente que escuchar la propia voz es una experiencia nueva y sumamente enriquecedora.

Acostumbrarse a emplear este método requiere cierta práctica y, por supuesto, cierto tiempo, por lo que al principio podrá emplear algunos recursos que lo ayuden a concretar el desdoblamiento. Si no se siente cómodo, en principio, relatándose el sueño a usted mismo, puede valerse de recursos adecuados, como ser un grabador.

c) Utilice un grabador

Grabe el sueño. Este acto se llevará a cabo fuera de la sesión de autoanálisis, por lo que quedará excluida de ella. La sesión comenzará en el momento en que usted apriete play y comience a escuchar su voz. Con el tiempo, podrá prescindir de esta ayuda extra y podrá relatarse los sueños a usted mismo sin la mediación de este recurso técnico.

d) Métase en la piel del analista

Por el hecho de contar su sueño, usted se colocará naturalmente en el lugar del analizado. Ocupar el lugar del analista le demandará un esfuerzo extra. Para lograrlo, además de escucharse deberá tratar de asumir progresivamente su rol.

Cada vez, por ejemplo, que su relato se interrumpa o se produzca un silencio, asuma el papel del analista y pregunte a su analizado "¿qué asocia con esta imagen?", "¿qué puede asociar con este personaje del sueño?".

Dado que usted estará dramatizando una situación, puede valerse de algunos recursos escénicos que emplean los actores para construir un personaje; en síntesis, no omita ningún detalle que pueda enriquecerla y hacerla más verosímil.

Por ejemplo, cada vez que haga hablar al analista, diferéncielo del analizado por la postura corporal o por algún otro rasgo. Usted estará, como analizado, recostado en una cama o un diván, y no podrá sentarse a la cabecera tal como lo hace el analista. En cambio, sí podrá adoptar actitudes que lo acerquen a él: cruzar las manos, usar una determinada inflexión de voz o una frase característica, cruzar una pierna, etc.

La importancia de la posición

Aunque mucha gente toma el hecho de acostarse en un diván para acceder a su inconsciente como una expresión banal y casi folclórica de la institución del psicoanálisis, este detalle no es caprichoso y tiene una importancia fundamental.

En efecto, el hecho de no verle la cara al analista, según las apreciaciones que Freud hizo en su época, permitía a la vez contar con la escucha de un otro pero no inhibirse con su presencia. En el caso específico del análisis de los sueños, además, estar acostado resulta la posición ideal, en tanto recrea la posición en que suelen tenerse las imágenes oníricas. Otra ventaja suplementaria es la relajación.

Existe, además, otra razón muy importante que pocos especialistas han tenido en cuenta y es sin duda la posibilidad de que los ojos tengan un determinado campo visual para recorrer: parte de la pared y del cielo raso, dos superficies planas que permiten, por un lado, lograr una mayor concentración, ya que acotan de manera definida el repertorio de objetos, texturas y colores, y de este modo acotan también los estímulos que recibe la conciencia. Por otra parte, las superficies planas se presentan como "llanuras" por las que los ojos pueden vagar mientras se va desenrollando naturalmente la madeja del sueño.

Es preciso tener en cuenta que ciertas actividades de carácter automático facilitan la concentración. Esta es la razón por la que la mayor parte de la gente hace dibujos en un papel mientras habla por teléfono. La mirada sobre el techo sería el equivalente de este tipo de dibujo, que nos permite la concentración absoluta en lo que escuchamos porque produce la reducción drástica de nuestro campo de intereses.

La importancia de la "escenografía"

"La mancha de humedad de la pared me permitía que mi conciencia se perdiera en los meandros de los sutiles ríos que tenía dibujados, mientras mi inconsciente afloraba estimulado porque la vigilancia estaba distraída." Estas palabras de un soñante recogidas en el libro del especialista en sueños Mark Douglas, dan cuenta de la importancia de la "escenografía" del consultorio de análisis de los sueños.

Otro soñante refería en el mismo libro cuánto le había facilitado el análisis de sus visiones oníricas el hecho de que el techo tuviera moldura. "Recorrerlas con la vista es hacer un movimiento similar al que hago cuando asocio y cuando recuerdo, y esto facilita tanto la asociación como la irrupción de mi pasado en mi presente."

Es recomendable, por lo tanto, que lo que vea al acostarse para relatarse a usted mismo su sueño sea una porción de pared y de cielo raso que posean algún tipo de línea que facilite algún recorrido: una moldura, una mancha, el marco de un cuadro, etc. Es cierto que, en cualquier pared, por lisa que sea, pueden descubrirse pequeñas manchas, imperfecciones y rugosidades que permitan el "paseo de los ojos", pero si son poco evidentes, tener que descubrirlas requerirá una dosis mayor de energía que no resultará beneficiosa para el análisis.

También es importante que se sienta cómodo, esto es que no tenga demasiado frío, ni demasiado calor, dado que éstas serán sensaciones corporales que atentarán contra su atención.

Por último, una luz tenue y un ambiente sin ruidos lo ayudarán a llevar a cabo exitosamente la sesión en la que usted será su propio analista. Baje la campanilla del teléfono y tome la resolución de no atender a nadie que le toque el timbre.

Cómo relatar el sueño

Lo importante al relatarse a sí mismo el sueño es que lo haga sin ningún tipo de inhibición y que se guíe por ciertas premisas básicas:

* **Diga todo lo que se le ocurra en el momento en que se le ocurra**

Este es el mejor modo de ir tejiendo una red asociativa que le permita develar el contenido latente de su sueño.

* **No les tema a las asociaciones por absurdas que puedan aparecer ante su mente consciente**

Dado que en el sueño la contradicción no existe porque cada cosa puede ser ella misma y a la vez otra, no ejerza ninguna censura sobre sus asociaciones, aunque le parezcan absurdas.

* **Pierda el miedo a las palabras**

Si en el relato del sueño precisa recurrir a un vocabulario soez o subido de tono, no tema hacerlo. Lo importante de las palabras, cuando se trata de acceder al inconsciente, no es su sentido objetivo, sino, sobre todo, su sentido subjetivo, vale decir la connotación afectiva que las palabras tienen para usted.

* **Establezca de antemano la duración de la sesión**

Aunque las sesiones de análisis duran unos cincuenta minutos, a los efectos de analizar sólo los sueños este tiempo puede reducirse. Veinte minutos le bastarán, aunque no agote el sentido de sus imágenes oníricas en ese lapso.

Es preferible que tenga varias sesiones diferentes en días diferentes, a que haga sesiones demasiado prolongadas. Saber que sólo se dispone de un tiempo determinado induce a hablar para decir todo lo que se desea expresar. Por este motivo, es muy importante establecer un límite temporal para la sesión.

Qué debe esperar de cada sesión

Alcanzar el sentido de un sueño es el fruto de un largo proceso de interpretación que se va cumpliendo a través de diferentes etapas. Por otra parte, este proceso jamás se cierra del todo, porque siempre es posible descubrir "algo más en un sueño".

Los ocho pasos del análisis que mencionamos así como la consulta del "Diccionario..." son elementos que hacen a la comprensión racional de los sueños. Las sesiones, en cambio, hacen a una comprensión más íntima y personal de ellos.

Lo que usted efectuará en su transcurso es una traducción o un intento de traducción del contenido manifiesto del sueño para develar su contenido latente. Muy posiblemente, de una sesión de autoanálisis no obtendrá sentidos generales ni enseñanzas. En cambio, recuperará la red asociativa imprescindible para entender el valor y el sentido que las imágenes del sueño tienen para usted. Por medio del autoanálisis, por lo tanto, hará suyo el contenido latente de sus producciones oníricas.

Como analista, tendrá el derecho de interpretar los sucesos de sus sueños de acuerdo con el material que aporta el analizado. Realice esta interpretación en voz alta, asumiendo plenamente su rol. Del mismo modo, haga a su "analizado" todas las preguntas que crea pertinentes para el esclarecimiento del sueño.

Tenga siempre en cuenta que se ha producido un desdoblamiento y que en ningún caso usted debe confundir los roles. No agregue como analista lo que se supone que sólo sabe el analizado: detalles del sueño, sensaciones, colores o cualquier otro rasgo.

Cuando la sesión haya terminado, al cabo de veinte minutos, levántese del diván o de la cama sintiéndose el analizado y despídase de su analista hasta la siguiente sesión, que deberá ser en el horario y el día previamente convenidos.

En este momento será preciso que vuelva a ser un sujeto unitario. Por lo tanto, es aconsejable que abandone el espacio físico en que llevó a cabo la sesión para que sus dos mitades puedan reencontrarse y volver a formar un solo ser.

Cómo relatar el sueño

* Diga todo lo que se le ocurra
en el momento en que se le ocurra.
* No les tema a las asociaciones por
absurdas que puedan aparecer ante
su mente consciente.
* Pierda el miedo a las palabras.
* Establezca de antemano la duración
de la sesión.

CAPITULO 7

¿Qué son los sueños? La respuesta

Los ocho pasos fundamentales para analizar un sueño y aprovecharlo para mejorar nuestra vida

Diccionario de lectura rápida por imágenes

Este diccionario, que ordena alfabéticamente los temas oníricos, no sólo le dirá cuál es el significado básico de las imágenes fundamentales de sus sueños, sino también cuál es la pregunta fundamental que usted debe hacerse en relación con ellas. De esta forma, ayudará a que sus sueños se conviertan en una valiosa fuente de información sobre los aspectos más ocultos y misteriosos de su yo y en una poderosa vía de transformación y crecimiento.

A través de las preguntas que se sugiere se haga a usted mismo, podrá conocer sus deseos reprimidos, los pensamientos que no se atreve a manifestar de manera clara, los impulsos que reprime y las fuerzas interiores que se debaten en usted y que, por no tener conciencia, no puede manejar de forma adecuada.

Para utilizar este diccionario y sacarle el mayor provecho, sintetice el "tema" o la imagen preponderante de su sueño en una palabra, busque en la columna contigua su significado y consulte en la tercera columna cuál es el interrogante que deberá contestarse para que su sueño se transforme en un vehículo de crecimiento espiritual, lo ayude a resolver problemas y, en consecuencia, a vivir una vida más plena.

Diccionario de lectura rápida por imágenes

Imagen	Significado asociado	Pregunta a formularse
A		
Abandono	Soledad. Necesidad de dejar atrás una vieja manera de ser para que pueda nacer algo nuevo.	¿Qué parte de mí mismo debo dejar atrás? ¿Estoy listo para intentarlo?
Abismo	Profundidad del yo, parte desconocida de uno mismo, inconsciente.	¿Cuál es la parte de mí mismo que temo descubrir?
Aborigen. (Véase también Nativo)	Fuerzas primarias del yo. Intuición. Desborde de la sexualidad.	¿Qué parte de mi ser exige que le permita ser expresada con mayor naturalidad y menos represión?
Aborto	Pérdida de algo nuevo. Dificultad para hacer prosperar lo que recién comienza.	¿Cuál es el emprendimiento que me da miedo y no me atrevo a comenzar?
Abuso (abusarse de alguien en cualquier sentido)	Violencia encubierta dentro de uno mismo.	¿Qué es lo que me hace enojar y sentirme lleno de ira?
Acantilado	Anuncio de dificultades futuras o expresión de las ya existentes.	¿Cuáles son los problemas de mi vida pasada o presente que no me atrevo a abordar?
Accidente	Suceso inesperado no deseado.	¿Qué es lo que estoy tratando de evitar? ¿A qué le temo?
Actor-Actriz	Deseo de ser reconocido y admirado.	¿Qué rol estoy jugando en mi vida de relación? ¿Me siento no reconocido o injustamente postergado?

Acuario	Microcosmos de las emociones.	¿Cuáles son los sentimientos que estoy dispuesto a mostrar o a expresar?
Adelgazar	Posibles problemas en la salud física o psíquica. Pérdida.	¿Cuál es la amenaza que siento que se cierne sobre mi vida? ¿Qué es lo que tengo miedo de perder?
Adicto o adicción	Falta de control sobre uno mismo. Necesidad obsesiva que no se puede manejar.	¿Cuáles son mis zonas oscuras, mis deseos inconfesables?
Adivinar, adivinación	Dificultades y angustias.	¿Cuáles son los sucesos del futuro a los que les temo?
Adolescente	Inmadurez. Crecimiento rápido.	¿Cuál es mi parte más inmadura? ¿Qué trabas debo superar para poder crecer?
Adopción	Necesidad de realizar un trabajo creativo.	¿Qué es lo que está naciendo en mí y no me atrevo a reconocer?
Africanos-americanos	Libertad contra la represión.	¿De qué forma puedo tratar de ser más espontáneo y más fiel a mis deseos más profundos?
Agonía	Significado contrario a la imagen que representa el sueño: algo morirá para que nazca algo nuevo.	¿Qué debo renovar? ¿Qué viejos conceptos debo dejar de lado para que surjan otros nuevos?

Agua	Vitalidad, cambio, representación de la esfera afectiva, abundancia y fertilidad.	¿Qué es lo que está cambiando en mí? ¿De qué modo puedo favorecer ese cambio?
Agua de inundación	Inconvenientes.	¿Cuál es el problema que me invade sin que pueda dar una respuesta?
Agua ofrecida en un vaso	Consuelo, protección, alivio.	¿Quién deseo que me ame y me conforte?
Aire	Inteligencia, fuerza del espíritu y de la mente, necesidad de expansión, creatividad.	¿De qué forma puedo procurarme el desarrollo intelectual que necesito?
Alcohol	Liberación de las trabas que impiden expresar las pasiones. Posibilidad de rehuir las responsabilidades.	¿Qué es lo que en mi vida me hace sentir oprimido?
Almendra-almendros	Símbolo del principio femenino: encanto, ternura, inteligencia.	(Para los hombres:) ¿estoy enamorado? (Para las mujeres:) ¿quién es el que me hace sentir de esta forma mi condición de mujer?
Altar	Fe pero también sacrificio.	¿Estoy preparado para seguir el camino que he trazado?

Ambulancia	Riesgo inminente, necesidad de actuar rápido.	¿Qué parte de mi ser pienso que debo salvar sin dilaciones?
Anciano	Rasgos hereditarios del carácter.	¿Qué es lo que deseo preservar y de qué características familiares quiero liberarme?
Ancla	Estabilidad y seguridad.	¿He encontrado, por fin, el camino que estaba buscando? ¿He llegado a algún puerto?
Angel	Revelación, necesidad de ser ayudado, conocimiento trascendental	¿Cuál es el peldaño espiriyual que debo subir?
Animales domésticos	Las fuerzas primarias del yo reprimidas por las exigencias de la vida social	¿Qué es lo que haría si supiera que no voy a ser censurado? ¿Qué partes de mí debo aún domesticar?
Aplausos	Reconocimiento, admiración.	¿Estoy dispuesto a encontrarme con aquellas cosas mías que no me gustan, o prefiero mentirme a mí mismo?
Arma	Necesidad de estar listo, de comenzar la carrera.	¿Cuál es el suceso de la vida para el que debo estar preparado?
Armario	Nuestra intimidad, nuestro bagaje cultural.	¿Qué es lo que siento respecto de mi yo más íntimo? ¿Qué es lo que debo cambiar?

Arquitectura (exterior de una casa o edificio)	Dibujo de una nueva identidad o de un nuevo rasgo de carácter.	¿Soy consciente de los cambios que se están produciendo en mí?
Arte	Creatividad, belleza e inspiración. Representa los contenidos del inconsciente.	¿Qué debo hacer para que aflore mi potencial creativo?
Artista	Creatividad, originalidad.	¿Tengo en cuenta que soy una persona única? ¿Me tratan realmente como el ser irrepetible que soy?
Ataúd	Fin de una situación que nos inquieta.	¿Qué es lo que aprendí de mi sufrimiento?
Atleta	Energía física y mental.	¿Cuáles son las actividades que quiero desarrollar o aquellas por las que quiero ser reconocido?
Avión	Intelecto, ideas elevadas y libertad de pensamiento.	¿Cuál es el medio que me permitirá llevar a cabo mi sueño de volar? ¿Qué es lo que tengo que hacer para "despegar" de una vez por todas del sitio en que me encuentro?
B		
Baile	Necesidad de conexión con la parte más emocional del yo.	¿Soy lo suficientemente espontáneo como para dejar que mis sentimientos afloren? ¿Cuáles son las barreras que me impiden expresarme del modo en que quiero?

Balcón	Necesidad de mirar a los demás sin ser visto.	¿Hago la introspección necesaria como para conocerme a mí mismo?
Baño	Sexualidad, sensualidad.	¿Es mi sexo una fuente de felicidad en mi vida?
Baranda	Protección y sostén. Si está floja o rota, amenaza, desilusión o frustraciones.	¿Me siento fuerte como para enfrentar las exigencias de la vida? ¿Cuál es el sostén que siento que me falta?
Barba	Necesidad de lanzarse a la acción si se trata de afeitarse la barba. De lo contrario, indica espiritualidad y sabiduría.	¿Cuáles son los movimientos estratégicos que podrían garantizarme un futuro mejor?
Barco	Viaje a través de las aguas del inconsciente.	¿Creo conocerme? ¿Quién soy?
Barranco	Dificultades y obstáculos.	¿De qué forma puedo evitar el fracaso?
Barrera, barrote	Dificultades para alcanzar objetivos precisos.	¿Estoy dispuesto a enfrentar las dificultades que se avecinan?
Barro	Creación, pero también pasiones bajas.	¿Aprovecho al máximo mi condición de criatura hecha a imagen y semejanza de Dios? ¿Cultivo mis dones creativos? ¿Reviso cuáles son mis sentimientos hacia los demás?

Baúl	(Véase Armario)	(Véase Armario)
Bautismo	Iniciación, muerte y resurrección.	¿Quién he sido? ¿Quién soy? ¿Quién seré?
Beber	Conectarse con el inconsciente.	¿Aporto a mi espíritu el alimento necesario?
Berenjena	Penas y sufrimientos.	¿Estoy listo para aprender del dolor?
Berros	Mejoría económica, profesional o de salud.	¿Hago lo posible por dar lo mejor de mí en aquello que hago?
Bicicleta	Autonomía.	¿Soy capaz de moverme por mi propio impulso?
Boca	En su sentido positivo, simboliza la creatividad. En su sentido negativo, la fuerza destructora de la Diosa Madre.	¿Seré capaz de construir sobre las ruinas?
Bóveda	Símbolo de la posición social y el estado psíquico.	¿Estoy conforme con lo que soy y con lo que tengo?

Bruma	Necesidad de ser prudentes al tomar una decisión.	¿Soy objetivo? ¿Al hacer evaluaciones de la situación, tomo en cuenta todas las variables posibles?
C		
Caballo	Fuerzas primarias del sexo. Desborde, pasión.	¿Estoy satisfecho en el área sexual? ¿Cuáles son mis carencias en ese aspecto? ¿Les temo a mis propias pasiones?
Caja	Contenido de nuestra psiquis, especialmente los secretos y represiones.	¿Soy lo suficientemente comunicativo con quienes me rodean?
Cama	Relaciones sexuales, intimidad, matrimonio. También enfermedad y muerte.	¿Qué es lo que debe morir en mí para que nazca algo nuevo?
Camello	Zonas desérticas del yo. Resistencia a la adversidad.	¿Cuáles son los recursos tanto interiores como exteriores con los que cuento para enfrentar la situación que me preocupa?
Canasta	Símbolo del útero. Indica fertilidad y abundancia.	¿Creo ser merecedor de mayores bienes y posesiones?
Caracol	Permanencia a través del tiempo.	¿Hay afectos fuertes y duraderos en mi vida?
Carta	Necesidad de recibir noticias, temor de que las noticias sean malas, perturbaciones de la conciencia.	¿Cuál es el mensaje de mi interior?

Cartera	Emociones, secretos, represiones, deseos y sueños.	¿Qué es lo que más deseo? ¿Qué hago cada día para lograrlo?
Casa	Representación de los aspectos femeninos del universo. Sus diversos cuartos y dependencias son los compartimentos de nuestra psiquis.	¿Hago la introspección necesaria? ¿Exploro dentro de mí para develar mis propios secretos?
Castración	Sentimiento de culpa con respecto al sexo.	¿Soy sincero ante mí mismo respecto de mis propios deseos?
Caverna	Utero, fuerzas del inconsciente. Salir de la caverna es renacer. Entrar, sumergirse en las profundidades del inconsciente.	¿Está naciendo en mí algo nuevo? ¿Qué cambios se avecinan?
Cementerio	Símbolo del pasado que nos ata y nos impide avanzar hacia el presente.	¿Qué cuentas debo saldar con el pasado para poder enfrentar gozosamente el futuro?
Cenizas	Símbolo del carácter finito de la existencia.	¿Mi desarrollo espiritual me permitirá trascender y superar las limitaciones del cuerpo?
Cerdo	Impureza, pasiones bajas.	¿Qué aspecto oscuro de mí es el que debo trabajar y esclarecer?
Ciego, ceguera	Imposibilidad de ver lo obvio.	¿Qué es lo que no puedo percibir de mí mismo? ¿Me conozco realmente? ¿Qué puedo hacer para conocerme mejor?

Círculo	Símbolo de lo completo, la totalidad y la perfección.	¿Cuáles son mis mayores aspiraciones, adónde quiero llegar?
Ciudad	Símbolo de lo masculino y lo femenino, del encuentro entre los sexos.	¿Cuál es el problema sentimental que me preocupa? ¿Estoy seguro/a de amar a quien digo amar?
Cocodrilo	Sentimientos primarios como la envidia o la ira.	¿Cuáles son los sentimientos primitivos de los que soy presa?
Conejo	Fecundidad y suerte. También fragilidad.	¿Cuál es el aspecto de mi vida en que debo aprender a ser más productivo? ¿Qué temores me impiden hacer lo que creo que debo?
Contrato	Si se trata de un contrato conveniente, acuerdo y armonía. Si se trata de un contrato desfavorable, compromiso no deseado.	¿Cuál es el problema que debo resolver con urgencia para sentirme libre?
Cuerpo	Unidad física y espiritual. Puede aparecer en el sueño bajo la imagen de la casa o el automóvil. Las modificaciones en el cuerpo aluden a modificaciones interiores.	¿Cómo me percibo a mí mismo en este momento de mi vida?
Cuervo	Problemas inconscientes que no pueden hacerse conscientes	¿De qué modo puedo hacer que afloren las oscuridades de mi inconsciente para que pueda penetrar la luz? ¿Debo bucear en mis sueños para comprender lo que no puedo comprender en la vigilia?

Cueva	Necesidad primaria de protección.	¿Por qué y ante qué me siento desamparado?
D		
Decapitación	Indicio de crisis interiores o de problemas propios de la mitad de la vida.	¿Estoy contento con la vida que tengo? ¿Cuál es el saldo de mi balance, de qué forma puedo cambiar lo que me hace daño?
Dedos	Problemas con parientes.	¿Debo buscar la reconciliación o apartarme sin recelo?
Defecación	Símbolo de la expulsión de lo impuro.	¿Qué pasión dañina quiero expulsar de mí?
Dentista	Reparación de un daño físico o moral.	¿Cuál es la deuda que tengo conmigo mismo? ¿Qué debo hacer para saldarla? ¿De qué forma puedo gratificarme?
Desastre natural	Temor de no poder sobrevivir a las exigencias que nos impone la vida.	¿Cuáles son los miedos que me paralizan y me impiden avanzar?
Descuartizamiento	Necesidad de ponerle fin a una situación de nuestra vida que pone en peligro nuestra salud física y mental.	¿Cuál es el acto de valentía que no me atrevo a realizar?
Descubrimiento	Nacimiento de una nueva identidad.	¿Seré capaz de reconocer, respetar y promover el nuevo ser que nace en mí?

Desierto	Desolación, pero también soledad necesaria para la meditación.	¿Cuál es el afecto que siento que me falta? ¿Estoy haciendo lo necesario para nutrir mi espíritu?
Desván	Símbolo del inconsciente.	¿Qué es lo que mi conciencia se esfuerza por reprimir?
Diablo	Sentimiento de culpa por una falta real o imaginaria.	¿Cuáles son los sentimientos que no me atrevo a confesar ante mí mismo? ¿Son realmente censurables?
Diamante	Soberanía, incorruptibilidad, valor ante la adversidad.	¿De dónde provienen mis certezas? ¿Puedo reconocer en ellas el producto de un proceso de desarrollo espiritual?
Dientes	Ataque, hostilidad y agresión, pero también sensualidad y amor. Símbolo del habla y la comunicación. Perder los dientes indica frustración.	¿Cuál es la fuerza interior que me consume? ¿Estoy seguro de la naturaleza de mis pasiones? ¿Lo que supongo odio no esconde un profundo amor y, a la inversa, lo que creo amor no es odio?
Digestión	Disolución y expulsión de lo que está muerto.	¿Cuáles son los sentimientos y pasiones de otro tiempo de que me estoy desprendiendo?

Diluvio	Fuerza destructiva y también poder regenerador.	¿Soy una persona equilibrada? ¿Existe en mí una armonía que haga que el bien compense al mal?
Dinamita	Emociones a punto de estallar.	¿Tendrá algún fin positivo mi estallido? ¿Servirá para algo?
Dinero	Símbolo de lo más deseado.	¿Son mis pasiones demasiado carnales?
Dinosaurio	Fuerza en relación con el tamaño.	¿Qué partes de mí debo desarrollar más?
Disfraz	Enmascaramiento de los verdaderos deseos y pasiones.	¿Soy capaz de ser sincero conmigo mismo?
Doble	Las personas, animales u objetos idénticos delatan la existencia de una dualidad interior.	¿Cuál es el conflicto que me aqueja y que no puedo expresar a través de las palabras?
Doctor	Deseo de encontrar la sensación tanto física como espiritual.	¿Cuál de todos los caminos que se abren delante de mí debo tomar? ¿De qué manera puedo lograr que las relaciones que entablo con los demás tengan un efecto balsámico en mi vida?
Domar	Confianza en las propias fuerzas.	¿De qué modo puedo alimentar mi optimismo y mi confianza?

Dormir	Algo importante nos está pasando inadvertido.	¿Cuál es el suceso interior o exterior que no puedo percibir? ¿Soy consecuente con mis intuiciones y les doy la importancia suficiente?
Dragón	Símbolo de la transformación y la fertilidad.	¿Cuál es la semilla que debo regar? ¿Cuál el fuego que debo avivar?
Duelo	Conflictos interiores o con quienes nos rodean.	¿Vale la pena la pelea que estoy llevando a cabo?
E		
Eclipse	Temor de ser devorado por los propios monstruos interiores del inconsciente.	¿Qué debo hacer para que mis fantasmas salgan a la luz?
Edificio	Posibilidad de construir algo en nuestra vida.	¿Estoy poniendo el empeño suficiente en lo que hago? ¿Tengo una actitud realmente constructiva?
Ejecución	Sentimiento de culpa del que deseamos liberarnos.	¿Cuál es la verdad que me atormenta de manera sorda pero persistente?
Ejército	Fuerzas destructivas interiores.	¿De qué forma puedo contrarrestar las fuerzas negativas que hay en mí?
Electricidad	Energía creativa.	¿Sé encauzar mis potenciales creativos?

Elevación, elevarse	Alusión a las metas que nos proponemos en la vida. Generalmente la elevación aparece sintetizada en un hecho práctico, como subir una escalera o escalar una montaña.	¿Debo revisar las metas que me he trazado?
Elevador	Símbolo mecánico de la elevación del espíritu y el intelecto.	¿Puedo reconocer y favorecer las transformaciones positivas que se producen en mi ser?
Embarazo	Deseo de reproducirse o de trascender a través de una obra.	¿Le doy a mi vida un sentido de trascendencia?
Encina	Símbolo del conocimiento y la fuerza, lazo de unión entre el Cielo y la Tierra.	¿Conozco los mecanismos para elevarme a una realidad superior y superarme a mí mismo? ¿Cultivo mi espíritu de manera adecuada?
Enemigo	Símbolo de las fuerzas inconscientes que traban nuestro buen desempeño en la vida.	¿Qué es lo que hago por dominar a mis fantasmas interiores?
Enfermedad	Necesidad de protección y amparo.	¿Por qué me siento tan débil? ¿Cuál es el origen de esa sensación de debilidad?
Engordar	Incremento de bienes materiales o espirituales.	¿De qué forma puedo optimizar la oportunidad de prosperidad o superación que me brinda la vida?

Enterrador	Símbolo de la persona que nos ayudará a desprendernos de aspectos envejecidos de nuestra personalidad.	¿Quién es la persona que puede, en este momento, favorecer mi crecimiento? ¿Estoy seguro de saber reconocerla?
Entierro	Triunfo sobre las propias fuerzas destructivas que se agitan en nuestro interior.	¿De qué modo logré vencer mis fantasmas? ¿He aprendido a defenderme de mi propia tendencia a la destrucción? ¿Estoy seguro de poder triunfar sobre mí mismo en el futuro?
Entrada	Comienzo de una transición.	¿De qué forma transitaré esta nueva etapa?
Entrañas	Símbolo de la felicidad futura.	¿Preparo hoy mi felicidad de mañana?
Escalera	Acceso a niveles más bajos y más altos de la conciencia. (Véase Elevarse)	¿Cuál es el camino vital que elegiré? ¿Me conformaré con lo que soy o buscaré superarme? ¿Haré que mi espíritu descienda o que se eleve?
Escoba	Necesidad de limpiar nuestro espíritu.	¿Cuáles son los elementos negativos que no me permiten ver claro? ¿De qué forma puedo "limpiar" mi espíritu de las fuerzas negativas que se depositan en él?

Escorpión	Indicio de miedo de recibir una traición.	¿Cuál es la intuición o el presagio que me quita el sueño? ¿Temo una infidelidad? ¿Cuáles son los elementos de la realidad que me permiten hacer ese tipo de inferencias?
Esmeralda	Símbolo de la inmortalidad.	¿Siento deseos de trascendencia? ¿Qué hago para trascender?
Espejo	Autoconocimiento, conciencia de la verdad, búsqueda de la autorrealización.	¿Qué es lo que más me gusta de mí? ¿Qué es aquello que no me gusta y que, en consecuencia, deseo cambiar?
Este	Punto cardinal que indica comienzo, en tanto el Sol sale por el Este.	¿Me encuentro ante las puertas de una aventura interior? ¿Qué puedo hacer para vivirla plenamente?
Explosión	Fuerzas destructivas del inconsciente.	¿Un fuerte sentimiento erótico no expresado a su destinatario se transforma en energía estancada y, en consecuencia, negativa? ¿Debo jugarme y expresar mis verdaderos sentimientos?
F		
Fábrica	Sensación de productividad.	¿De qué forma puedo sacar mayor provecho de este período de creatividad y acción?

Faisán	Símbolo de lo femenino.	(Si es mujer:) ¿Debo revalorizar mi condición femenina? (Si es varón:) ¿Cuál es la importancia de la mujer en mi vida? ¿le doy el lugar que se merece?
Famosos	Méritos y cualidades, pero también errores y fallas.	¿Estoy en un momento de autoevaluación? ¿Cuál es el saldo de mi balance?
Fango	Símbolo de la creatividad y la fecundidad, pero también de los sentimientos impuros.	¿Debo hacer un esfuerzo para aprender a transformar los elementos más bajos de mi ser en energía positiva?
Fantasma	Salud, bienestar y felicidad.	¿Cuáles son las fantasías que me hacen bien? ¿Qué debería hacer para transformarlas en realidad?
Faro	Esperanza, solución para los problemas.	¿Qué debo hacer para alcanzar más pronto la luz que vislumbro hacia el final del túnel?
Fecha	Aviso de que en esa fecha ocurrió o nos ocurrirá algo.	¿Cuáles son los sucesos importantes de mi pasado? ¿Y los del futuro?
Fiesta	Regocijo propio de la sensación de estar vivo.	¿Vivo con plenitud tomando conciencia a cada instante de lo que significa la vida?

Flagelación	Desórdenes interiores, culpas.	¿Cuáles son lo errores que más me reprocho? ¿De qué forma puedo saldar esa deuda que creo tener conmigo mismo y sentirme libre de culpa?
Flores	Símbolo de lo transitorio.	¿Por qué me siento tan frágil?
Flotar	Calma en las aguas del inconsciente.	¿A qué obedece esta sensación de bienestar? ¿Qué puedo hacer para que perdure?
Foca	Miedo de entregarse.	¿Por qué vivo el amor como una amenaza a mi independencia?
Fosa	Sentimiento de amenaza.	¿Seré capaz de sortear las dificultades que vislumbro en mi camino?
Fotografía	Apresar el instante, lo efímero.	¿Soy capaz de vivir intensamente cada momento de mi vida?
Frontera	Separación entre dos mundos.	¿Soy lo suficientemente generoso como para no discriminar a nadie porque sea diferente a mí?
Frutas	Abundancia de la naturaleza, fertilidad y prosperidad. También autoconocimiento.	¿Estoy en el momento justo para devolver todo aquello que recibí de los demás?

Frutilla	Deseo que parece inalcanzable.	¿Sueño más de lo que realizo? ¿Qué acciones concretas he llevado a cabo para concretar mis fantasías?
Fuego	Purificación, trascendencia, iluminación. El fuego limpia las impurezas y reduce lo viejo a cenizas.	¿Qué fuego debo encender en mi vida para que mi existencia se limpie de las cosas que no quiero?
Fuente	Fluir constante del tiempo, vida eterna, purificación. Aguas profundas del inconsciente.	¿Cómo convertir mi inconsciente en una fuente de información sobre mí mismo? ¿Debo prestarle más atención a mis sueños?
Funeral	Advertencia acerca de la finitud de la vida.	¿Me esfuerzo por ser feliz?
G		
Gallina	Fecundidad, responsabilidad.	¿Qué es lo que mejor sé cuidar de mi vida? ¿Qué es lo que debo aprender a cuidar mejor?
Ganso	Fertilidad y fidelidad.	¿Soy consecuente con mis ideas y trato de ponerlas en práctica haciendo algo útil para los demás?
Gato	Aspectos femeninos. Sabiduría y sutileza. Independencia y capacidad para cuidarse.	¿Tengo la independencia que necesito? ¿Puedo prescindir de los demás para realizar ciertas tareas y decidir por mí mismo?

Gente	Según la actitud de la gente que nos rodea, la posición que sentimos, que ocupamos frente a los demás.	¿Quién soy para mí? ¿Qué creo ser para los demás?
Gigantes	Fuerza primordial, parte oscura del inconsciente.	¿Estoy seguro de utilizar en mi vida diaria toda la fuerza de la que dispongo? ¿Puedo aplicar más energía al logro de mis metas?
Gimnasia	Relación entre el cuerpo y las emociones.	¿Disfruto de mi cuerpo lo suficiente? ¿Soy consciente de que el cuerpo es el templo del espíritu?
Globo	Símbolo de la perfección y de la totalidad.	¿Cuál es mi ideal de perfección? ¿Qué hago cada día por acercarme a él?
Golpes	Desilusiones a las que nos enfrenta la vida.	¿Tengo tolerancia a la frustración? ¿No obtener lo que deseo, cada vez que lo deseo, constituye un obstáculo para mi felicidad?
Gorrión	Fragilidad propia o de alguien querido que nos rodea.	¿Sé cuidarme a mí mismo? ¿Cuido a las personas que quiero?
Gotera	Desborde de las emociones.	¿Soy incapaz de dominar la tristeza, la ira o el malestar?
Granja	Nutrición, fuente de salud y de vida.	¿Sé defender y mantener aquello que me hace bien?

Granos	Posibilidad de vida, de nacimiento y resurrección.	¿Soy capaz de dar nacimiento a un proyecto y concretarlo paso a paso?
Grieta	Autoconciencia de los conflictos y carencias personales.	¿Cuáles son las grietas que advierto en mi personalidad? ¿Cuáles son mis carencias? ¿De qué modo puedo suplir lo que creo que me falta? ¿Cómo puedo mejorar?
Grillo	Paz, felicidad y armonía.	¿Vivo en armonía conmigo mismo y con los seres de mi entorno?
Grito	Sensación de peligro.	¿Cuál es el peligro que vislumbro? ¿De qué modo puedo evitarlo? ¿Mi enemigo está fuera de mí o soy yo mismo?
Grotesco	Ansiedad, temor al ridículo, a quedar descolocado.	¿Me entrego plenamente a quien amo o siempre me reservo un resto para no sufrir en caso de decepción?
Grupos	Representación del inconsciente colectivo.	¿Soy capaz de reconocer lo que me dicen los sueños cuando éstos me hablan con signos arquetípicos?
Gruta	Necesidad de recibir una terapia espiritual.	¿Cuido mi espíritu como cuido mi cuerpo? ¿Qué hago por enriquecerlo?

Guadaña	Muerte y cosecha. En sueños la guadaña suele estar referida a la muerte de algún estado espiritual que permitirá el nacimiento de otro.	¿Permito que se cumplan los ciclos de renovación de la vida interior o constantemente mi nostalgia por el pasado me tiende trampas?
Guantes	Necesidad de abrigo y protección. También, necesidad de no "ensuciarse las manos".	¿Temo involucrarme demasiado en aquello que me interesa? ¿Soy actor o espectador de mi propia vida?
Guerra	Conflicto interior muy serio que no puede resolverse.	¿Estoy en un buen momento para pedir ayuda?
Guirnalda	Símbolo de lo efímero, pero también de lo festivo.	¿Debo celebrar aquello bueno que me sucede, aunque sea pequeño?
Guitarra	Necesidad de seducir con el canto y con la música, necesidad de poner alegría en la vida.	¿Qué es lo que creo que le falta a mi existencia para ser más plena?
H		
Hablar	Oír hablar en sueños es indicio de que hay mensajes que no registramos en la vigilia. Esos mensajes pueden provenir de nuestro interior o de alguna de las personas que nos rodean.	¿Qué es aquello a lo que mis oídos y mi conciencia permanecen cerrados?
Hacha	Poder, fuerza y autoridad para cortar con algo que hace daño.	¿Me siento seguro de lo que quiero? ¿No será éste el momento de ponerle punto final a lo que no me deja crecer?

Hada	Capacidad de imaginar y de realizar los deseos más acariciados.	¿Voy en camino de cumplir mi mejor sueño? ¿Tengo confianza en que lo lograré?
Halcón	Ascenso en todos los planos: intelectual, físico y espiritual.	¿Puedo sentir el cambio que he llevado a cabo, al intentar superarme a mí mismo?
Hambre	Miedo de perder los bienes materiales, pero también apetito sexual.	¿Estoy demasiado arraigado a los bienes materiales? ¿El sexo constituye para mí una fuente de felicidad?
Harina	Símbolo de la abundancia.	¿Si me siento pleno de bienes espirituales, no será éste el momento de comenzar a compartirlos con los demás?
Heces	Riqueza, esencia del ser, fertilidad y crecimiento. También, oscuridad del inconsciente, de la que derivará la claridad.	¿A qué pruebas estoy dispuesto a someterme para alcanzar lo que quiero y acercarme a la felicidad?
Herida	Temor a que hieran nuestros sentimientos, nuestro orgullo o nuestra susceptibilidad.	¿Qué heridas viejas son las que no terminan de cicatrizar?
Hermanos	Aparición del tema del "doble", imagen especular de uno mismo.	¿Hago la introspección suficiente como para averiguar quién soy?

Herradura	Suerte y protección contra la mala suerte.	¿A qué le temo? ¿Por qué necesito confiar en algo exterior para sentirme seguro?
Hiedra	Símbolo de la amistad y los afectos sinceros.	¿Cuido mis afectos lo suficiente? ¿Cultivo la amistad como se cultiva una flor?
Hiena	Pasiones bajas e inconfesables, aviso de traición.	¿Cuáles son las pasiones oscuras que se agitan en mí y que me cuesta reconocer? ¿De qué modo puedo expulsarlas o modificarlas?
Higo	Erotismo, fertilidad y abundancia. Las hojas representan lo masculino, mientras el fruto representa lo femenino.	¿Hago fructificar los dones que me ha regalado la naturaleza? ¿Soy capaz de reconocerlos como tales y de ser lo suficientemente exigente como para que mi talento natural rinda sus mejores frutos?
Hogar	Protección, seguridad, calor maternal.	¿Cuál es el afecto que siento que me falta?
Hombre	Rivalidad o envidia con alguien del sexo masculino.	¿Soy capaz de reconocer los sentimientos negativos que me alejan de ciertos seres, sin que aparentemente medie una razón válida?
Hotel	Momento de transición, de pasaje de un estado a otro.	¿De dónde vengo y hacia dónde creo ir? ¿Tengo conciencia de estar generando un cambio?

Huevo	Comienzo, principio de todo. Símbolo de la fertilidad.	¿Me encuentro ante el comienzo de algo importante?
Humo	Conflictos y emociones que impiden ver claro.	¿De qué forma puedo poner un poco de objetividad en mi vida? ¿A quién puedo pedirle auxilio para que me ayude a resolver lo que no puedo resolver solo?
Huracán	Una dura prueba a superar de la cual podremos salir derrotados o victoriosos.	¿Tengo la confianza suficiente en mis propias fuerzas como para enfrentar situaciones difíciles? ¿De qué forma puedo incrementarla?
I		
Iceberg	Irrupción de lo inconsciente en la conciencia.	¿Estoy seguro de manejar mis impulsos? ¿Comprendo en profundidad las causas de mis reacciones intempestivas?
Identidad (documentos de)	Perderlos indica confusión respecto de la identidad o pérdida de las raíces o de los bienes queridos.	¿Sé quién soy? ¿Cuál es el camino que me llevará a averiguarlo?
Incendio	Aviso de peligro.	¿Cuál es el área de mi personalidad en que siento que se está encendiendo un fuego peligroso? ¿Debo apagarlo o permitir que arrase con todo?

Infidelidad	Traicionar o ser traicionado por la pareja refleja una ansiedad relacionada con el sexo.	¿Tengo en claro cuáles son los sentimientos que me unen a mi pareja?
Infierno	Símbolo del fuego que todo lo destruye, y a partir del cual todo renace.	¿Qué es lo que muere en mí para que nazca algo nuevo?
Iniciación	Se considera sueño de iniciación todo aquél en el que aparece el comienzo de una nueva etapa de nuestra vida: un nuevo trabajo, una transformación espiritual, un acontecimiento inesperado.	¿Estoy preparado para las transformaciones a que me enfrentará la vida?
Inmersión	(Véase Bautismo)	(Véase Bautismo)
Inmovilidad	Angustia por la imposibilidad de resolver algo.	¿Estoy seguro de saber qué es lo que me angustia? ¿Estoy seguro de no poder hacer nada para resolverlo?
Inundación	Aspectos destructivos del inconsciente. Fin de una fase de la vida y preparación para una nueva. (Véase Agua)	(Véase Agua)
Invierno	Vida en estado latente, repliegue interior.	¿No será éste un buen momento para detenerme y mirar mi interior?

Invitación	Invitar a alguien o ser invitado delata la necesidad de cumplir con las normas sociales.	¿Cuál es la parte de mí que se rebela contra las normas instituidas?
Isla	Lugar ideal en el que se encuentra la felicidad.	¿Cuál es la isla con la que sueño? ¿Qué es para mí la felicidad? ¿Intento ir a su encuentro cada día, aunque no siempre logre llegar a destino?
J		
Jabalí	Coraje.	¿De dónde nace esta seguridad en mí mismo? ¿Reconozco la fuerza positiva que constituye mi respaldo? ¿Soy consciente de su potencia?
Jabón	Soñar con jabón es un buen augurio. Se aclararán los malentendidos y se establecerán nuevos acuerdos sobre bases más seguras.	¿Soy consciente de cuánto he crecido y madurado?
Jacinto	Amistad y benevolencia.	¿Devuelvo todo lo positivo que recibo de los demás?
Jaguar	Rapidez, poder, sigilo, cautela y otros atributos felinos que son propios del jaguar.	¿Soy consciente de los atributos que poseo? ¿Saco suficiente provecho de ellos?

Jardín	Lugar de refugio, paz y recogimiento.	¿Tengo mi propio jardín interior? ¿Sé cobijarme en mi propio interior cuando la realidad me es hostil? ¿Puedo protegerme y cuidarme a mí mismo?
Jarra, jarrón	Símbolo de lo femenino. Presagio de felicidad y abundancia.	¿He detectado la fuente de mi felicidad y procuro cuidarla?
Jaula	Si la jaula tiene un pájaro dentro, indica que encontraremos el amor o la amistad que estamos buscando. Si está vacía, que tendremos penas de amor.	¿Me merezco encontrar quien me quiera? ¿Soy merecedor del cariño que los demás me profesan?
Jazmín	Lealtad y amabilidad.	¿Soy leal y amable con quienes me rodean? ¿Esparzo en el aire el aroma de mi amor como el jazmín su perfume?
Joya	Búsqueda espiritual, deseo de poseer el conocimiento.	¿Cuál es mi búsqueda espiritual? ¿Tengo proyectos personales que intento desarrollar?
Juego	Relajación y goce, pero también competencia.	¿Tengo espíritu lúdico? ¿Soy capaz de competir en un área específica sin rivalizar en todas y sin tener sentimientos negativos hacia mi eventual contendiente?

Juez	Esperanza y deseo de salir airoso de una situación complicada.	¿Soy un juez implacable conmigo mismo? ¿Me mido a mí mismo con la misma vara con que mido a los demás?
Junco	Resistencia y también flexibilidad.	¿Tengo la flexibilidad suficiente para enfrentar situaciones difíciles?
Juramento	Falta de confianza en las propias fuerzas.	¿Por qué no confío en mí? ¿De qué forma puedo fortalecer mi autoestima?
Juventud	Soñarse joven indica fe en el futuro, energía, vitalidad. Soñarse viejo o de la edad que se tiene indica depresión.	¿Mantengo mi espíritu joven? ¿Cuál es la diferencia existente entre mi edad cronológica y mi edad espiritual?
L		
Laberinto	Misterios de la vida, la muerte y la resurrección.	¿Conozco cada aspecto de mi ser interior?
Laboratorio	Lugar de experimentación de nuevas sensaciones.	¿Me atrevo a cambiar de vida, a vivir experiencias inéditas que puedan modificarme de manera sustancial?
Lago	Energía estancada.	¿Qué es lo que me detiene y no me deja avanzar?

Lámpara	Encender una lámpara en sueños puede representar las diferentes fases de la vida.	¿Cuán potente es mi luz? ¿Sé mantener el entusiasmo a pesar de los años y las condiciones adversas?
Lapislázuli	Piedra sagrada que atrae los favores divinos.	¿Qué es aquello que no me creo en condiciones de alcanzar por mí mismo?
Lechuza	Temor a la enfermedad y a la muerte.	¿Conozco la causa de mi angustia? ¿No debería plantearme con mayor sinceridad qué es lo que me produce tensión y malestar?
León	Coraje e instinto animal.	¿Estoy realmente decidido a jugarme por entero?
Libro	Capacidad para conocer algún aspecto no explorado y frecuentemente oscuro de nosotros mismos.	¿Estoy dispuesto a conocerme y enfrentarme con aquellas características de mí mismo que me resultan inaceptables?
Liebre	Fertilidad, abundancia, intuición.	¿Respeto mis intuiciones y corro detrás de ellas o me falta la confianza suficiente como para actuar de acuerdo con lo que me dicta el corazón?
Limón	Momentos amargos en el presente servirán de base a momentos muy dulces en el futuro.	¿Sabré soportar los rigores a que me enfrente la vida hoy, para poder premiarme mañana?

Llamas	(Véase Fuego)	(Véase Fuego)
Llanto	Presagio de alegría.	¿Soy capaz de vivir a fondo cada uno de mis estados emocionales?
Llaves	Posibilidad de abrir las puertas cerradas.	¿He identificado ya el aspecto de mi vida que debo destrabar?
Lluvia	Contacto con el inconsciente. También, fertilidad y riqueza.	¿Me conecto lo suficiente con las fuerzas interiores desconocidas o racionalizo todas las cosas?
Luciérnaga	Capacidad de transformación.	¿Aprovecho al máximo mi capacidad para los cambios?
Lucha	Conflicto interior muy severo que no puede ser resuelto.	¿Necesitaré pedir ayuda? ¿Tendré la humildad de hacerlo?
Luciérnaga	Como el gusano, indica capacidad de transformación, pero la luz que irradia alude a satisfacciones espirituales futuras.	¿Seré capaz de orientarme en las tinieblas de una nueva forma de ser?
Luna	Principio de lo femenino, diosa madre. Cambio, intuición, flujo y reflujo de las energías.	¿Me siento capaz de superar un trance difícil y renacer de mis propias cenizas?
Luz	Verdad, revelación, iluminación de una fuerza sobrenatural o divina.	¿Soy consecuente con mi fe?

M		
Madona (la)	Principio de lo femenino, maternidad.	¿Estoy maduro para dar a luz a la nueva persona que puja por nacer dentro de mí?
Madre	Protección y vida, pero también destrucción y muerte.	¿Las energías constructivas y las destructivas están equilibradas dentro de mí?
Maestro	Necesidad de consejo.	¿Tengo la humildad de preguntar lo que no sé?
Malaquita	Piedra protectora con poderes mágicos.	¿Me siento desamparado? ¿Tengo necesidad de protección?
Manos	Símbolo de fuerza, autoridad y poder. Una de las partes más expresivas del cuerpo. Capacidad para dar y quitar algo a alguien.	¿Soy lo suficientemente generoso con quienes me rodean?
Manzana	Necesidad de completud.	¿Me siento solo? ¿Siento que mi pareja no me acompaña? ¿Cuál es el amor del que creo carecer?
Margarita	Inocencia, pureza, frescura, necesidad de amor.	¿Me atreveré a preguntarle a la persona amada si también ella me ama?
Mariposa	(Véase Gusano)	(Véase Gusano)

Marrón	Color de la tierra que alude a las cualidades de este elemento.	¿Debo dejar de volar y poner "los pies sobre la tierra"?
Martillo	Lo masculino, la fuerza creadora y destructiva de la naturaleza.	¿Contra qué me rebelo sin atreverme a confesarlo?
Máscara	Deseo de ocultarle algo a los demás y a uno mismo.	¿Soy sincero con los otros y, sobre todo, conmigo? ¿Qué es lo que deseo ocultar y por qué?
Masoquismo	Vivencia de alguna herida como hecho definitivo que nos hará sufrir siempre.	¿Seré capaz de vislumbrar la tenue luz que se insinúa hacia el final del túnel, que me indica que hay una salida?
Matar	Deseo de que una persona o aquello que dicha persona representa desaparezca de nuestra vida.	¿Qué emociones son las que me hacen sentir avergonzado de mí mismo?
Matrimonio	Unión de los opuestos, reconciliación de las diferencias. Símbolo de un conflicto que se desea superar.	¿Que desarmonía me atormenta? ¿Cómo puedo superarla?
Menstruación	(Véase Sangre)	(Véase Sangre)
Mirto	Planta mágica que simboliza la iniciación espiritual y la paz.	¿Acaso me encuentro en el principio de un nuevo camino espiritual?

Mono	Sabiduría y elevación del espíritu.	¿Soy capaz de elevarme a niveles superiores de espiritualidad?
Montaña	Escalarla significa realizar un ascenso espiritual, en tanto la montaña constituye un símbolo arquetípico del yo. El descenso, en cambio, tiene que ver con el dominio de las pasiones.	¿Lo pasional y lo espiritual conviven en mí de forma armónica?
Mosca	Sentimientos impuros, pecado, infección y pestilencia.	¿Cuál es la pasión que me corroe y que considero tan dañina?
Muerte	Transformación, cambio de estado, elevación, espiritualidad y trascendencia.	¿Qué es lo que está muriendo en mí para que nazca algo nuevo?
Muerto	Forma de consolación por la pérdida de un ser querido.	¿Soy consciente de que quien se ha ido de esta tierra vive dentro de mí?
Mula	Falta de fecundidad.	¿De qué forma puedo estimular mi aspecto creativo?
Muñeca	Nostalgia de los tiempos idos.	¿La nostalgia por el pasado me impide vivir el presente?
Muralla	Obstáculo infranqueable, pero también protección contra los ataques.	¿Mi corazón tiene una coraza inexpugnable? ¿Soy feliz cuando no permito que nadie reine en él ni nadie lo hiera con la flecha del amor?

Murciélago	Fuerzas oscuras de la noche.	¿Qué oscuridades de mi alma estoy decidido a explorar?
Museo	Lugar que representa el pasado de una cultura y también el pasado personal.	¿He saldado mis cuentas con el pasado? ¿Cuáles son los hechos pasados que aún siguen gravitando en mi presente?
Música	Emociones del alma y el espíritu.	Le presto suficiente atención a mis emociones, respeto mis estados de ánimo y sé reconocerlos?
N		
Nabos	Mediocridad.	¿Cuál es la mediocridad de mi personalidad que debo superar?
Nacimiento	Surgimiento de un nuevo yo.	¿Cómo puedo ayudar a que surja algo nuevo dentro de mi ser? ¿Cuál es mi camino de perfección?
Nadar	Desplazarse por las aguas del inconsciente, conocer lo desconocido	¿Cómo puedo desplazarme a través de mi propio interior para averiguar lo que no sé de mí?
Naranja	Color de la ambición, el egoísmo y la lujuria.	¿Con quién soy cruel o hacia quién profeso bajos sentimientos?
Narciso	Flor que se planta sobre las tumbas y que, por lo tanto, significa muerte.	¿Qué es lo que debe morir en mí para que nazca algo nuevo?

Nariz	Intuición.	¿Sé aprovechar adecuadamente mi intuición para conocerme?
Naufragio	Naufragio de proyectos y esperanzas.	¿Por qué me desanimo? ¿Por qué permito que muera la esperanza?
Nido	Símbolo del hogar.	¿Soy una persona cálida y acogedora dispuesta a prestar ayuda solidaria a los demás?
Niebla	Falta de claridad para encarar una situación.	¿Cuál es la niebla que se aloja en mi mente y en mi alma y que no me deja percibir la realidad?
Nieve	Sentimientos, talentos y habilidades que están bloqueados.	¿Cómo debo hacer para poder emplear a fondo toda la energía de que dispongo?
Niñera	Figura femenina que simboliza protección.	¿Siento necesidad de que me protejan? ¿Hay alguien en mi vida capaz de confortarme como una madre?
Niño	Renacer.	¿Estoy dispuesto a que nazcan en mi interior nuevas capacidades y esperanzas?
Noche	Peligros, hechos desconocidos, oscuridad que precede al nacimiento de la luz.	¿Estoy en el camino correcto para alcanzar la luz?

Nubes	Confusión, mal presagio.	¿Puedo examinar detalladamente mi presente para saber de qué forma incidirá en mi futuro?
Nudo	Mantenimiento de la unión, pero también restricción de la libertad.	¿Qué es lo que me detiene y no me permite crecer? ¿De qué forma puedo superarlo y superarme?
Nuez	Verdad y sabiduría. Fertilidad y fuerza generativa.	¿Me siento lo suficientemente fuerte como para lograr mis objetivos? ¿Debo capacitarme más para alcanzar lo que quiero?
Números	Símbolos arquetípicos del yo.	¿Quién soy? ¿Estoy seguro de conocerme?
O		
Oasis	Descanso de las presiones cotidianas.	¿Dónde debo buscar mi propio oasis para que mi alma pueda descansar de las fatigas?
Oca	Símbolo de la felicidad y del destino.	¿Soy todo lo feliz que puedo? ¿Es posible alcanzar un grado más alto de felicidad? ¿Me esfuerzo lo suficiente por lograrlo?
Ojos	Símbolos del alma.	¿Se refleja mi alma en mis ojos? ¿Cómo la percibo a través de ellos?

Olas	Símbolo del inconsciente.	¿Soy capaz de internarme en las olas de mi propio interior?
Ollas	Problemas familiares.	¿Cómo soy con los míos? ¿Soy generoso y solidario con ellos?
Orejas	Símbolo de la comunicación.	¿Me comunico con los que me rodean? ¿Estoy seguro de tener un buen intercambio comunicativo?
Orgías	Insatisfacción sexual.	¿Trato a mi cuerpo como si fuera el templo de mi espíritu?
Oro	Según la Alquimia, sustancia en que se pueden trocar todos los metales a partir de la Piedra Filosofal.	¿Estoy dispuesto a transformarme para superarme?
Oso	Símbolo de los instintos.	¿Trabajo sobre mi ser para superar mis instintos básicos y enriquecer mi alma?
Otoño	Declinación.	¿A medida que envejezco, adquiero sabiduría? ¿Rejuvenece mi alma, mientras envejece mi cuerpo?
Oveja	Augurio de prosperidad.	¿Estoy seguro de saber aprovechar las oportunidades que la vida me brinda?

P		
Padre	Disciplina, autoridad y tradición.	¿Soy fiel a los mandatos de mis antepasados?
Pájaro	Símbolo del alma.	¿Soy capaz de acceder a niveles superiores de conciencia?
Pelea	Tensiones.	¿Qué hago para descargar las energías negativas que habitan en mi interior y que se vuelven contra mí?
Pelota	Armonía, completud.	¿Me siento en paz conmigo mismo?
Perla	Principio de lo femenino.	¿Soy capaz de gestar algo nuevo?
Perro	Aspectos masculinos de la personalidad. Amor incondicional. Obediencia, lealtad, amor a la verdad.	¿Qué es lo que amo de manera incondicional? ¿Soy una persona fiel y leal como quiero que sean conmigo?
Pez	Contenido del inconsciente.	¿Sé desplegar las redes para conocer los contenidos de mi inconsciente a través de mis sueños?
Pie	Libertad, movilidad, capacidad de desplazarse.	¿Me siento interiormente libre?
Prisión	Limitación de las capacidades de opción.	¿Cuál es la fuerza que me oprime y no me deja crecer?

Puente	Pasaje de un estado psicológico a otro, de un estado a otro.	¿Seré capaz de atravesar el puente que me separa de lo que realmente quiero? ¿Tendré fuerzas para recorrer el camino que me he planteado? ¿Llegaré adonde quiero llegar?
Puerta	Oportunidad de elección.	¿Soy capaz de atravesar los diferentes estadios que supone mi crecimiento interior?
Q		
Quemadura	Presagio de peleas.	¿Estoy enemistado conmigo mismo?
Quimera	Monstruo mitológico con cabeza de león, cuerpo de cabra y cola de dragón. Símbolo del inconsciente colectivo, según la teoría de Jung.	¿Me sirven mis fantasías para manejarme en mi vida diaria?
R		
Rama	Triunfo de la vida y del amor.	¿Seré capaz de sobrevivir a los sucesivos "diluvios espirituales" de mi vida, tal como lo hizo Noé?
Rana	Fertilidad y erotismo.	¿Disfruto de mi cuerpo o, al menos, lo intento?

Rata	Alusión a engaños y trampas.	¿Estoy seguro de no engañarme a mí mismo y de no tenderme trampas?
Rayo	Poder de la divinidad.	¿Estoy dispuesto a que el poder de Dios penetre en mí?
Reloj	Devenir de la vida.	¿Aprovecho mi vida minuto a minuto?
Reptil	Transformación psíquica y espiritual.	¿Estoy abierto a los cambios positivos?
Rey	Símbolo arquetípico de la autoridad.	¿A quién le reconozco autoridad sobre mí en mi vida?
Ropa	Apariencias, imagen que se quiere dar ante el mundo.	¿Me dejo llevar por las apariencias? ¿Soy una persona realmente auténtica?
Rosa	Flor que es símbolo de la riqueza del alma.	¿Sé cuáles son mis mayores tesoros espirituales?
Rubí	Símbolo de la pasión.	¿Está mi vida habitada por la pasión?
Rueda	Cambio, curso de la vida.	¿Siento que evoluciono espiritualmente?
Ruinas	Ruina espiritual, moral o material.	¿Aceptaré el desafío de renacer de las cenizas?

S		
Sacerdote	Necesidad de recibir ayuda espiritual.	¿Sé pedir ayuda cuando la necesito? ¿Existen guías espirituales en mi vida?
Sal	Símbolo de la pureza.	¿Soy capaz de preservar la pureza de mi propia infancia?
Sangre	Símbolo de las emociones.	¿Soy capaz de vivir todas las emociones que me están destinadas o tomo distancia de los hechos para no sufrir?
Sauce	Tristeza.	¿Cuál es la causa que me hace sufrir y que no me atrevo a confesar?
Semillas	Expresión de vida.	¿Doy nacimiento a cosas nuevas? ¿Soy espiritualmente fértil?
Senos	Símbolo de la maternidad.	¿Soy capaz de alentar proyectos nuevos?
Sexo	Emociones reprimidas.	¿Soy lo suficientemente rico, expresivamente? ¿Sé comunicar lo que me sucede?
Sirena	Engaño, trampa.	¿Cuál es el canto de las sirenas que escucho en mi vida y al que no puedo resistirme, aunque sé que me llevará a la perdición?

Sol	Vida, energía, luz.	¿Seré capaz de expulsar de mi interior las sombras de la noche?
Sombrero	Cambiar de idea o de opinión.	¿Me permito rectificar mis pensamientos?
Subterráneo	Inconsciente.	¿Tengo registro de que estoy habitado por fuerzas ciegas y poderosas y hago lo posible por manejarlas de manera positiva?
T		
Teléfono	Comunicación con el inconsciente y con los seres que nos rodean.	¿Estoy conectado conmigo mismo y con los otros?
Tierra (la)	Símbolo de solidez y firmeza.	¿Tengo sensación de fortaleza ante la vida como si tuviera siempre una madre protectora a mi lado?
Tigre	Triunfo de los instintos sobre la razón.	¿Cuál es el lugar que la razón ocupa en mi vida?
Tijeras	Instrumento de una de las tres Parcas.	¿A qué es lo que quiero ponerle punto final?
Timón	Conducción de la vida.	¿He tomado el timón de mi vida o navego a la deriva?
Títere	Símbolo de los seres que son manipulados por otros.	¿Soy una persona independiente?

Toro	Fuerzas instintivas.	¿Tengo confianza en mis propias fuerzas?
Torre	Símbolo del intelecto.	¿Qué es lo que hago por incrementar mi sabiduría?
Tortuga	Longevidad y serenidad, también demora.	¿Qué es lo que camina demasiado lento en mi vida?
Tren	Viaje por la vida a través de una senda prefijada.	¿Soy capaz de andar nuevos caminos? ¿Soy capaz de desviarme de la senda fijada por las convenciones para trazar la mía propia?
Trueno	Poder creativo y fertilizador.	¿Soy capaz de la pasión y la furia?
Túnel	Travesía por la vida.	¿Intento que mi camino por la vida sea digno?
U		
Umbral	Transición, pasaje de un lugar a otro.	¿De dónde vengo y hacia dónde voy?
Uvas	Sabiduría y verdad, abundancia y renovación.	¿Qué es lo que abunda en mi vida y qué es lo que escasea?
V		
Vaca	Maternidad, producción y docilidad. Alimento y sustento.	¿Cuál es el aspecto de mí mismoal que no le presto suficiente atención, aquella parte de mi yo que no "nutro" lo suficiente?

Vampiro	Ansia irrefrenable de vivir, aun a costa del sacrificio de los otros.	¿Soy autosuficiente o les exijo demasiado a los demás para satisfacer mis propias necesidades?
Vegetales	Falta de vitalidad.	¿Por qué dejo que algo muera en mí? ¿Qué puedo hacer para volver a darle vida?
Vela	Símbolo del alma humana y de la luz espiritual.	¿Tiene protagonismo el espíritu en mi vida?
Veleta	Advertencia de no dejarse vencer por las dudas.	¿Estoy seguro de ir en la dirección correcta?
Ventana	Perspectiva desde la que se contempla en mundo.	¿Es para mí el mundo un lugar acogedor u hostil?
Vestido	Apariencias.	¿Me dejo guiar por las apariencias o soy una persona auténtica?
Viaje	Búsqueda de la verdad espiritual.	¿Me muevo o estoy detenido?
Volar	Capacidad para trascender la realidad ordinaria.	¿Soy capaz de elevarme sobre mis propias limitaciones?
Y		
Yugo	Símbolo de la disciplina.	¿Soy capaz de imponerme rigores para alcanzar el conocimiento y la verdad?

Yunque	Principio pasivo.	¿Soy activo o pasivo respecto de mi propia vida?
Z		
Zapatos	Símbolo de riqueza.	¿Me siento rico interiormente? ¿Aspiro a la riqueza exterior para compensar la pobreza interior?
Zorro	Astucia, malicia, engaños.	¿Le doy cabida al demonio dentro de mi vida?

"Así como los collares de las mujeres del harén
están hechos con perlas enhebradas en un hilo,
los sueños parecen piedras de diferentes
formas y colores
que se convierten en un collar,
si descubrimos en ellas el hilo que las une."

Alid-ad-Alil, sabio árabe del siglo IV

indice

TÍTULOS DE ESTA COLECCIÓN

100 Hechizos de Amor
Anorexia y Bulimia
Cábala al Alcance de Todos
Cómo Leer el Aura. *Orus de la Cruz*
Cómo Leer las Runas
Contador de Calorías
Diccionario de los Sueños
El Arte de la Guerra. *Sun-Tzu*
El Evangelio según el Espiritismo. *Allan Kardec*
El Libro de los Espíritus. *Allan Kardec*
El Libro de los Mediums. *Allan Kardec*
El Mensaje Oculto de los Sueños
El Simbolismo Oculto de los Sueños. *Zabta*
Esoterismo Gitano. *Perla Migueli*
Fe en la Oración. Ilustrado
Hechizos y Conjuros
Kama Sutra. Ilustrado. *M. Vatsyáyána*
Las Enseñanzas de la Madre Teresa
Las Profecías de Nostradamus
Los Planetas y el Amor
Los Secretos de la Bruja 1. Manual de Hechicería
Los Secretos de la Bruja 2. Manual de Hechicería
Los Sueños. *Morfeo*
Magia con Ángeles
Magia con Velas
Manual contra la Envidia. *Pura Santibañez*
Numerología al Alcance de Todos
Reencarnación y Karma. *Luciano Lauro*
Remedios Caseros
Salmos Curativos
Ser Chamán. *Ledo Miranda Lules*
Toco Madera. *Diego Mileno*

NOTAS

NOTAS

NOTAS

NOTAS

NOTAS

NOTAS

NOTAS

Impreso en Cosegraf;

Progreso No. 10 Col. Centro
Ixtapaluca Edo. De México